目指せ！科学者２

【特別監修】
東京応化科学技術振興財団理事長
東京理科大学栄誉教授
藤嶋 昭

【編集委員長】岩科季治

はじめに

東京応化科学技術振興財団では、理科や科学が大好きな青少年を育成するため、理科実験教室などの開催活動をしている全国のボランティアの方々に、「科学教育の普及・啓発助成」を１８年以上に亘り実施してまいりました。近年ではさらに、特に優れた活動をしている団体を表彰することとして、「優秀活動賞」や「活動奨励賞」を設けて、活動を応援しております。

本助成を受けられたボランティア団体の皆様が今まで行ってこられた素晴らしい活動成果を広く知っていただき、役立てていただくために、以下の書物を発行してきました。「ヤングサイエンス選書①～⑧」および「開け！科学の扉①～⑧」の１６冊。さらに最近では認定ＮＰＯ法人かわさき市民アカデミーの行っている科学に関する素晴らしい講座内容を、中高生にも易しく説明を加えて紹介する「新しい科学の世界へ①～⑤」の５冊の発刊支援を行ってまいりました。いずれの本も各界の方々より高い評価をいただいております。

公益財団法人
東京応化科学技術振興財団理事長
藤嶋 昭

この度さらに、優れた研究者の姿に触れて、具体的な科学者のイメージを持って歩むことが青少年にとって大切であると考えて、その機会になればと、当財団の「向井賞」をうけられた研究者の業績紹介などや表彰団体の活動紹介の発刊支援を行いたいと進めてまいりました。幸いなことに、従前より当財団の「科学教育の普及・啓発助成」活動に、ご理解をいただくとともに、自らも青少年の育成に力を注いでいる株式会社北野書店より「目指せ！科学者（新シリーズ）」の刊行に同意をいただけたので、財団として本シリーズ発刊を積極的に支援することとしました。

この本が、ひとりでも多くの若い皆さんの、科学者を目指すきっかけになることを願うとともに、さらに理科啓蒙のためのボランティア活動をされている方々の支えになればと思っております。

もくじ

藤嶋先生にインタビュー

科学の素晴らしさを伝えたい

マイケル・ファラデーとの出会い

光触媒を発見し、現在も研究をリードする藤嶋昭先生。研究のかたわら、全国の小中学校、高等学校などで精力的に出前授業を行っておられます。

科学の素晴らしさを伝え、日本の科学力の発展に努力されている藤嶋先生に、発行元の北野書店の北野嘉信社長がインタビューしました。

藤嶋昭先生（左）と北野書店の北野嘉信社長（右）

インタビュー動画

▶藤嶋昭先生インタビュー
http://kitanobook.co.jp/extra/extra15_mk1.html

タブレットかスマートフォンで左の二次元バーコードを読み込んでください。

自然の不思議に触れ合い、感動した

北野　本日は、先生が科学に興味・関心を深められた具体的な出来事などについてお聞きしたいと思います。早速ですが、先生は子どものころから科学的なことに興味を持っておられたのでしょうか。

藤嶋　私は小学校時代を愛知県豊田市の佐切小学校で過ごしました。全校生徒80名くらいの小学校で、周囲は自然にあふれていました。

思い出すのは夜空の流れ星、そして美しい光を放つホタルでしょうか。そのころのわくわくした感動は今でも心に残っています。また、雲が流れて行く様子などを眺めて、天気は西の方から変わっていくのはなぜだろう？と考えたりしていました。

まだ小学生でしたから、それらの原理などに興味があったわけではありませんが、自然の不思議に触れ合って、感動していました。豊かな自然にかこまれていたのはとてもよかったと思います。

北野　その後、東京に戻られて中学校、高等学校と進まれておられるのですが、授業科目の中では、やはり理科がお好きだったのでしょうか。

藤嶋　いちばん好きだったのは化学でした。炎色反応の実験は、いろいろな試料を熱すると、元素によって炎がいろいろな色になります。色で元素がわかるなんて面白く、印象深い実験でした。いろいろなことを実験で確かめる「化学」が特に好きでしたね。

北野　先生は、大学では工学部に進まれましたね。

藤嶋　私たちの学生時代は理系が人気があったんです。大学では、有機物に不純物がどのくらい含まれているのかといった卒業研究をしました。

卒業にあたって進路を考えた時、さらに研究を進めたいと思い、東京大学の大学院に進学しました。

北野　先生は、大学院の時に読まれたマイケル・ファラデーの伝記に大きな影響を受けられたとお聞きしました。

藤嶋　『ファラデーの生涯（スーチン著）』です。ファラデーのことはもちろん電気分解の法則などで知っていましたが、その伝記を読んで、業績はもちろん、科学者としての姿勢、その人間性に感動しました。

一人三役の天才科学者マイケル・ファラデー

北野　ファラデーの業績を教えていただけますでしょうか。

藤嶋　ファラデーは、1791年にイギリスで生まれました。電気モーターの発明、電磁誘導による発電の発見など、電気科学の基礎を築きました。また、ベンゼンの発見など、ファラデーの発明、発見の多くはノーベル賞級の成果です。

ノーベル賞は1901年に第1回の受賞者が発表されましたが、もしファラデーが生きていた時代にノーベル賞があったら、少なくとも6回は受賞したと言われています。

ファラデーのほか、近代科学の基礎を築いたガリレオ・ガリレイ、ニュートン、細菌学の基礎を築いたパスツール、そしてマリー・キュリーにアインシュタイン、これらの科学者は、一人で何人分もの業績を残した、偉大な科学者たちです。

北野　ファラデーは人間的にはどんな人柄だったのでしょうか。

藤嶋　ファラデーは貧しい家の生まれで、14歳で書店や製本業を営んでいた人のところに働きに出ます。製本の技術を習得しながら、多くの科学書を読みました。独学で科学の知識を身につけ、科学に関心を持ったファラデーは、王立研究所の公開講座に参加するなどして、研究者になりたいと強く思うようになりました。王立研究所に手紙を出したりし

ファラデーの主な業績

マイケル・ファラデー
(1791-1867)

1821年（30歳）	モーターの発明
1823年（32歳）	塩素の液化に成功
1825年（34歳）	ベンゼンとイソブチレンを発見
	王立研究所で金曜講演を始める
1831年（40歳）	電磁誘導を発見
1833年（42歳）	物質の半導体的性質の最初の発見
1834年（43歳）	電気分解の法則を発見 （第一法則：1833年発表、第二法則1834年発表）
1845年（54歳）	光と磁場のファラデー効果を発見
1850年（59歳）	酸素の常磁性を発見
1860年（69歳）	クリスマスレクチャー「ロウソクの科学」
1862年（71歳）	最後の金曜講演

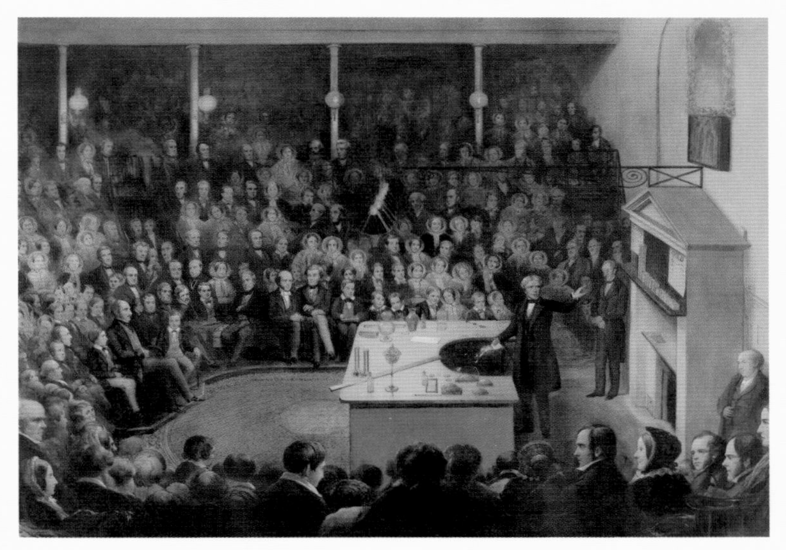

▲ファラデーの講演会（1855年のクリスマスレクチャー）の様子。

て、なんとか王立研究所の科学者、ハンフリー・デーヴィーの実験助手になることができ、科学の研究を始めることができたのです。

北野　ファラデーといえば、『ロウソクの科学』や公開講座が有名です。

藤嶋　ファラデーが始めた公開講座は、二つあります。

まず、1825年から、毎週金曜日午後8時30分から1時間の講座を始めました。これが金曜講演です。成人向けの講演で、ファラデー自身が担当したのは74回にのぼります。平均700人以上の人がつめかけ、大変な人気でした。

そのころは電気のない時代です。ガス灯の中、大勢の人がファラデーの講演を聞きに集まったというのは、すごいことですね。

そしてもうひとつの有名な講座であるクリスマスレクチャーは、ファラデーが1826年に子どものために始めました。6回連続で12月下旬から2月まで行われました。ファラデーは、『ロウソクの科学』を含め19回のレクチャーを行いました。

北野　ファラデーの業績に加えて、科学に対する姿勢、科学を伝える姿勢に感動されたのですね。

藤嶋　はい。地位や名誉などに関心がなく、ひたすら研究に打ち込んで数多くの論文を発表し、世界に貢献した姿を尊敬しています。

「7・5・3」を、「8・6・4」にしたい

北野　先生も光触媒の発見など、研究を続けながら、学校などでの出前授業を精力的に行っておられますね。

藤嶋　はい。このところは、年に15回くらいのペースで、小中学校、高校への出前授業を行っています。母校の佐切小学校や、自宅近くの川崎市立玉川小学校でも毎年、出前授業をしています。

　科学に関心を持ってもらおうと、学齢に合わせて簡単にできる実験や、光触媒の実験を行ったり、ファラデーをはじめ、世界の偉大な科学者の業績なども伝えているんです。

北野　子どもたちの理科離れが叫ばれて久しいですが。

藤嶋　「7・5・3」問題をご存じでしょうか。小学校5年生では、7割の生徒が理科が好きなんです。それが中学2年生になると理科好きは5割に、高校2年になると3割になってしまう。これが「7・5・3」問題と言われてきた課題です。実際、出前授業で感じるのは、小学校のうちはほとんどの生徒が、目を輝かせて話を聞いてくれています。

▲横浜サイエンスフロンティア高等学校での出前授業で、「虹の7色のひみつ」についてお話しされた藤嶋先生（2024年4月20日）。

日本は石油などの化石エネルギーがほとんどとれません。これまでも、そしてこれからも日本を支えるのは科学技術だと思います。そのためには、一人でも多く理科、科学に関心を持った子どもを育て、科学技術立国を目指さなければなりません。

現在が「７・５・３」であるならば、小学校５年の理科好きを８割に、中学２年の理科好きを６割に、高校２年の理科好きを４割にしたい。「７・５・３」を「８・６・４」にしたいというのが、私が出前授業を行っている目的です。

北野　出前授業で特に印象に残っている出来事はありますか。

藤嶋　そうですね。初めて出前授業をしたのは、大学生の時です。夏休みに、旅行を兼ねて友人たちと山陰地方や東北地方の学校に出前授業に行きました。私は理科担当で、一生懸命に授業の準備をして、中学生に教えました。生徒も熱心に聞いてくれ、とても充実した時間を過ごすことができ、素晴らしい思い出になりました。また、私は現在東京都の私立女子中学校で毎年出前授業を行っています。東京理科大学の学長をしていたときに、その学校の生徒が、「先生、出前授業を聞いて理科大に来ました！」と入学のあいさつに来てくれたのには、大変驚き、また感動しました。

▲横浜サイエンスフロンティア高等学校での出前授業で、「雲はどうして白いのか、空はどうして青いのか」についてお話しされた藤嶋先生（2024年４月20日）。

科学を学び、楽しみ、伝えてほしい

北野　先生はこの度、『ファラデーのつくった世界！』という書籍を出版されました。

藤嶋　化学同人から出版しました。現在私たちが暮らすうえで使っている電気製品、例えば半導体、発電、光通信、モーターなどはファラデーの発見がもとになってつくられています。ファラデーの偉大さや科学へのひたむきな思いを伝えようと思ってつくりました。

有名な『ロウソクの科学』の実験も再現し、実験動画が見られる書籍になっています。ぜひ科学を学び、楽しみ、伝えていってほしいと思います。

科学者に一番大切なのは、センスです。ひとつの事実をほかのことに応用したり、新しい発想をしたりする感覚が大切です。そのためには「読書」は欠かせません。読書によってさまざまな知識を得ることが、センスを磨くことになると思います。

北野　北野書店も、書籍を通してこれからも子どもたちに感動を伝えていきたいと思っています。

本日はどうもありがとうございました。

『ファラデーのつくった世界！』
藤嶋昭・落合剛・濱田健吾 著
本体2,000円＋税
A5判・152ページ
（化学同人）

「これからも科学の素晴らしさを伝えていきたい」と語られる藤嶋昭先生。

「向井賞の表彰事業＆記念科学講演会」と「科学教育の普及・啓発助成事業」

この本では、向井賞を受賞された科学者とその研究を紹介しています。

向井賞は、公益財団法人東京応化科学技術振興財団が、科学技術の振興に特に優れた功績をあげられた方を表彰するものです。本財団は1987年、初代理事長の故向井繁正氏（東京応化工業株式会社の創始者）により、科学技術の研究開発や研究交流に対して助成を行うことを目的に設立されました。受賞者には表彰式で記念科学講演会として講演をお願いしております。

今回紹介しているのは、第34回向井賞を受賞された片岡一則氏（公益財団法人川崎市産業振興財団 ナノ医療イノベーションセンター センター長）、根岸雄一氏（東京理科大学 理学部第一部応用化学科 教授）の2人です。

2人の研究から、科学のおもしろさ、研究の素晴らしさを感じ、一人でも多くの読者が科学の研究に挑戦し、最高の感動を体験することを願っています。

また、公益財団法人東京応化科学技術振興財団は、助成事業として2013年から、科学や理科に興味を持った青少年を育成するための普及・啓発活動に対して助成を行っています。なお、本助成部門とともに「研究費の助成部門」「国際交流助成部門」「研究交流促進助成部門」の各部門について、選考委員会・選考部会の選考および理事会の承認を経て助成金を交付しております。また、2023年から「科学教育の普及・啓発助成団体表彰」を新たに設け、団体の表彰を行っております。

この本では、第1回「科学教育の普及・啓発助成団体表彰」で「活動奨励賞」を受賞された「特定非営利活動法人かながわ子ども教室」、「一般社団法人ディレクトフォース理科実験グループ」の活動についても紹介しています。各団体の青少年への科学教育の普及活動を参考にしてくだされればと思います。

▶向井賞メダル（純金100g）
（表は初代理事長向井繁正氏の肖像。）

向井賞受賞者一覧

第1回 平成2年（1990年）	受賞者　小門宏 氏（所属：東京工業大学工学部 教授） 業績　光記録材料に関する研究
第2回 平成3年（1991年）	受賞者　北尾悌次郎 氏（所属：大阪府立大学工学部 教授） 業績　機能性色素材料に関する研究
第3回 平成4年（1992年）	受賞者　徳丸克己 氏（所属：筑波大学化学系 教授） 業績　光化学反応の有機物理化学的手法による研究とその展開
第4回 平成5年（1993年）	受賞者　大西孝治 氏（所属：東京職業能力開発短期大学校 校長） 業績　固体触媒反応機構に関する基礎研究
第5回 平成6年（1994年）	受賞者　山本明夫 氏（所属：早稲田大学理工学研究科 客員教授） 業績　有機遷移金属錯体の研究
第6回 平成7年（1995年）	受賞者　笛木和雄 氏（所属：東京理科大学理工学部 教授） 業績　固体材料の物理化学的研究
第7回 平成8年（1996年）	受賞者　国武豊喜 氏（所属：九州大学工学部 教授） 業績　合成二分子膜の開拓と自己組織性分子集合体の研究
第8回 平成9年（1997年）	受賞者　増子昇 氏（所属：千葉工業大学工学部 教授） 業績　金属化学プロセスの電気化学的研究
第9回 平成10年（1998年）	受賞者　遠藤剛 氏（所属：東京工業大学資源化学研究所 所長・教授） 業績　新しい開環重合の開発と機能
第10回 平成11年（1999年）	受賞者　曽我直弘 氏（所属：滋賀県立大学工学部 教授） 業績　無機材料の基礎科学と材料設計に関する研究
第11回 平成12年（2000年）	受賞者　井上祥平 氏（所属：東京理科大学工学部 教授） 業績　高分子合成反応の精密制御とその展開
第12回 平成13年（2001年）	受賞者　伊藤靖彦 氏（所属：京都大学大学院エネルギー科学研究科 教授） 業績　溶融塩／高温化学系に関する基礎的ならびに開拓的研究
第13回 平成14年（2002年）	受賞者　飯島澄男 氏（所属：名城大学理工学部 教授） 業績　高分解能電子顕微鏡の開拓とカーボンナノチューブの発見
第14回 平成15年（2003年）	受賞者　玉尾皓平 氏（所属：京都大学化学研究所 教授） 業績　クロスカップリング反応の発見とその応用
第15回 平成16年（2004年）	受賞者　御園生誠 氏（所属：工学院大学工学部 教授） 業績　固体触媒の設計と環境触媒への応用
第16回 平成17年（2005年）	受賞者　榊裕之 氏（所属：東京大学生産技術研究所 教授） 業績　半導体ナノ構造の形成・評価法と新素子応用の開拓
第17回 平成18年（2006年）	受賞者　鯉沼秀臣 氏（所属：（独）科学技術振興機構 シニアフェロー） 業績　酸化物の化学と電子機能に関する革新的研究
第18回 平成19年（2007年）	受賞者　入江正浩 氏（所属：立教大学理学部 教授） 業績　フォトクロミックアリールエテン分子に関する研究

	第19回 平成20年（2008年）	受賞者　平尾公彦 氏（所属：東京大学 副学長） 業績　量子化学における分子理論の開発
	第20回 平成21年（2009年）	受賞者　岩澤康裕 氏（所属：電気通信大学電気通信学部 教授） 業績　分子レベルの触媒表面設計と動的触媒作用に関する研究
	第21回 平成22年（2010年）	受賞者　増原宏 氏（所属：奈良先端科学技術大学院大学 特任教授） 業績　レーザーを駆使した分子光科学の開拓的研究
	第22回 平成23年（2011年）	受賞者　井上晴夫 氏（所属：首都大学東京 教授） 業績　可視光による光化学
	第23回 平成24年（2012年）	受賞者　川合眞紀 氏（所属：独立行政法人理化学研究所 理事） 業績　表面単分子スペクトロスコピー
	第24回 平成25年（2013年）	受賞者　小池康博 氏（所属：慶應義塾大学理工学部 教授） 業績　フォトニクスポリマーの基礎研究と機能創造
	第25回 平成26年（2014年）	受賞者　黒田玲子 氏（所属：東京理科大学総合研究機構・教授） 業績　固体キラル化学の展開と新しいキラル分光計の開発
	第26回 平成27年（2015年）	受賞者　橋本和仁 氏（所属：東京大学大学院工学系研究科応用化学専攻・教授） 業績　電気化学反応を基礎とするエネルギー・環境科学に関する研究
	第27回 平成28年（2016年）	受賞者　逢坂哲彌 氏（所属：早稲田大学 研究院教授／総長室参与） 業績　電気化学ナノテクノロジーによる学から産への技術発信
	第28回 平成29年（2017年）	受賞者　大越慎一 氏（所属：東京大学大学院理学系研究科化学専攻 教授） 業績　固体物理化学に立脚した新規機能性物質の開拓
	第29回 平成30年（2018年）	受賞者　本間英夫 氏（所属：関東学院大学 材料・表面工学研究所 顧問／特別栄誉教授） 業績　湿式成膜による機能性薄膜の創製
	第30回 令和元年（2019年）	受賞者　山下正廣 氏（所属：東北大学 材料科学高等研究所 教授） 業績　次世代型高次機能性ナノ金属錯体の創成
	第31回 令和2年（2020年）	受賞者　西出宏之 氏（所属：早稲田大学 名誉教授／招聘研究教授） 業績　ラジカル高分子の創出と電荷輸送・貯蔵への実践的展開
	第32回 令和3年（2021年）	受賞者　益田秀樹 氏（所属：東京都立大学 都市環境科学研究科 名誉教授） 業績　アノード酸化プロセスにもとづく規則ナノ構造の形成と機能化展開
	第33回 令和4年（2022年）	受賞者　渡邉正義 氏 (所属：横浜国立大学　先端科学高等研究院 特任教授/先進化学エネルギー研究センター センター長) 業績　イオン液体を基軸とする有機イオニクス材料の設計と創成
＊	第34回 令和5年（2023年）	受賞者　片岡一則 氏 (所属：公益財団法人川崎市産業振興財団 ナノ医療イノベーションセンター センター長) 業績　高分子合成化学に立脚した新規薬物送達システムの開発
＊		受賞者　根岸雄一 氏（所属：東京理科大学 理学部第一部応用化学科 教授） 業績　金属ナノクラスターの原子精度での制御とエネルギー・環境触媒への応用
	第35回 令和6年（2024年）	受賞者　金村聖志 氏（所属：東京都立大学 都市環境学部 特別先導教授／名誉教授） 業績　二次電池・燃料電池用新材料の開発と実デバイスへの応用
		受賞者　西林仁昭 氏（所属：東京大学大学院 工学系研究科応用化学専攻 教授） 業績　分子触媒を利用した温和な反応条件下での触媒的窒素固定法の開発

＊は、この書籍で紹介している受賞者と研究です。（所属は受賞時）

みずから光り輝くロウソクは、どんな宝石よりも美しい。

マイケル・ファラデー

1791～1867年・イギリス

人類の科学や生活の発展に大きく寄与する「電磁誘導の法則」などを発見。19世紀最大の実験科学者と言われます。

M. Faraday

第1章

体内に
ナノマシンを送りこみ
がん細胞を狙い撃ち

1. 研究者・片岡一則

片岡先生は、ナノテクノロジーを利用した「体内病院」の実現に向けて研究を進めています。センター長を務めている川崎市のナノ医療イノベーションセンターで、片岡先生にインタビューをしました。

略歴

1974 年東京大学工学部合成化学科卒業。1988年東京女子医科大学医用工学研究施設助教授、1994年東京理科大学基礎工学部教授、1998年東京大学大学院工学系研究科マテリアル工学専攻教授、2015年から公益財団法人川崎市産業振興財団ナノ医療イノベーションセンター長。2016年東京大学名誉教授。

とにかく好奇心が旺盛

Q　学生時代はどんなことに興味がありましたか？

A　いろいろなことに興味がありました。昆虫採集に熱中したり歴史に興味を持ったりと、好奇心が旺盛で、特に理系科目が好きだったわけではありません。高校生のとき、自分で何か研究をという課題があったとき、「ホウレンソウ」について調べたことがありました。ホウレンソウはなぜ酸性の土壌で成長するのか、ということに疑問を持ち、研究機関などに行って調べたことが記憶に残っています。結局原因はわかりませんでしたが、実際に自分で酸性の土を作り、ホウレンソウを育ててみて、確かによく育つことを確かめました。

高校２年の時には、大学では法学部に進みたいと思っていました。ところが担任の先生から、向いていないと言われました（なぜなのか今でもわかりません…笑）。英語、社会なども得意だったのですが、素直に文系から理系に進むことを決めました。まわりの同級生も驚いていましたが。

その時その時で、興味の対象がいろいろ変わったように、とにかく好奇心が強かったです。それは今も同じですね。ただ、振り返ってみると、子どものころから生物がとても好きだったということは言えると思います。人体に関する現在の研究も、やはり生物に興味があったということが関係しているのかと思います。

片岡先生受賞歴（一部）	
1993年	日本バイオマテリアル学会賞
2000年	高分子学会賞
2010年	文部科学大臣表彰科学技術賞
2012年	フンボルト賞（ドイツ）
2012年	第９回江崎玲於奈賞
2014年	高分子化学功績賞
2017年	高松宮妃癌研究基金学術賞
2023年	第34回向井賞
2023年	クラリベイト引用栄誉賞（クラリベイト社・アメリカ、イギリス）

人類のための科学が大切

Q　バイオマテリアル（生体応用を目的にした高分子材料）の研究を始めたきっかけは？

A　大学は工学部に進み、その後何の研究をするかを考え、応用化学の分野に進みました。応用化学は基礎研究もやるし、広がりがある学問だと感じたのです。高分子化学の鶴田禎二先生（東大名誉教授）の教室に入り、基礎研究も楽しく充実していました。博士課程に進学するとき、鶴田先生の、「高分子化学は成熟期にある。この先は、高分子をどのように社会に役立てるか、人類の福祉のための研究が大切だ」という言葉に衝撃を受けました。そして「バイオマテリアル」の研究をすることに決めたのです。

Q　研究を始めてからどんな苦労がありましたか？

A　ほとんど誰もやったことがない分野でした。化学だけでなく医学や他の分野との協力が必要です。東京女子医科大学の桜井靖久先生（名誉教授）のもと、人工心臓の材料研究などを、様々な大学のいろいろな分野の研究者と「患者のことを考える」ことを意識して行いました。また、東京理科大学で有機合成を研究されていた向山光昭先生（東京大学、東京工業大学、東京理科大学名誉教授）にも激励をいただき、研究を進めることができました。

Q　ドラッグ・デリバリーとの出会いは？

A　博士課程の時、ドイツの研究者リングスドルフが著した高分子医薬の論文を読みました。薬をつけた高分子を作り臓器に運ぶ「ドラッグ・デリバリー」について、これは面白いと思いました。

人工血管に活用するために体内で異物として認識されない高分子の研究をしていたこともあり、ドラッグ・デリバリーの研究を始めました。抗がん剤を患部に運ぶことはできないかと考えて作ったナノ粒子のサイズを測ったら約40ナノメートルでした。ウイルスと同じサイズで構造的にも似ています。「これはナノマシンになる、これをがん細胞に届けよう」とひらめきました。

インタビュー動画

タブレットかスマートフォンで右の二次元バーコードを読み込んでください。

▶片岡一則先生インタビュー

http://kitanobook.co.jp/extra/extra15_mk2.html

「明るさ、素直さ、情熱」

Q　研究者として大切なことは？

A　いろいろなことに好奇心を持ち、自分の専門分野だけでなく、様々な分野の研究者と知恵を出し合うことが大切だと思います。バイオマテリアルの研究を始めてから、医学関係をはじめ様々な分野の専門家と力を合わせてきたからこそ、現在があります。

　また、向山光昭先生から、「明るさ、素直さ、情熱」の姿勢を学びました。失敗しても明るく次の課題に取り組み、研究した結果を事実として素直に認め、そこからの疑問や課題を大切にして、情熱をもってさらに研究を進めなくてはいけません。

Q　高校生に伝えたいことは？

A　自分は理系、自分は文系と決めてかからず、いろいろな科目をしっかり勉強することが大切だと思います。基礎を勉強していると、面白さがわかってきたり、思ってもみなかった自分の得意分野に気づくことがあります。

　大学の学問は、高校の科目からいろいろな方面に広がります。これからの時代は、自分の専門の学問だけでなく、いろいろな分野の学問と連携して、「人類のためになる」研究を目指してほしいと思います。

2. ナノテクがん治療の基礎知識

片岡先生の研究を紹介する前に、がんとは何か、また、がんの治療法について簡単に説明します。

＊医学監修：東京医科歯科大学　内田智士教授（医師・医学博士）

がんとは何か、がんが発生する仕組み

生物は、正常な細胞が必要に応じて増え、新しい細胞が古くなった細胞と置き替わるといった新陳代謝が秩序正しく行われています。しかし、何らかの原因で遺伝子に傷がついた細胞が生体内の制御に従わず異常増殖し、組織のかたまり（腫瘍）を作ることがあります。

このような腫瘍のうち、異常な細胞が基底膜（臓器の内側を覆う上皮組織と結合組織との間にある層）を越えて周りに広がり（浸潤）、さらにそれが血液やリンパ液により他の組織や臓器に運ばれて根付く（転移）性質をもつものを「がん（＝悪性腫瘍）」と言います。

がんには固形がんと血液がんの２種類があり、固形がんは、がんが発生する細胞によってさらに「癌腫」と「肉腫」の2つに分類されます。

癌腫とは、体の表面や消化管および気道などの内側、臓器などを覆う「上皮組織」に発生するがんのことで、肺がんや胃がん、大腸がん、乳がん、子宮がんなどは癌腫のひとつに数えられます。

一方の肉腫は、上皮組織以外に発生するがんのことで、骨肉腫や軟骨肉腫、平滑筋肉腫、血管肉腫などが代表的な例としてあげられます。

血液がんは、血液や骨髄液、リンパ液の中に流れる細胞（白血球など）に発生するがんで、白血病や悪性リンパ腫、骨髄腫などがあり、さらにがん化した細胞の種類や性質によって細分化されています。

3大治療法は、手術・放射線治療・薬物療法

がんの3大治療法とは、外科手術・放射線治療・薬物療法です。初期のうちは、がんを摘出したり、放射線で消失させることも可能ですが、全身に転移した場合には抗がん剤を用いた薬物療法が選択さ

れます。

外科手術は、がん組織の原発巣または転移巣を外科的に取り除くこと（外科切除）の他、がん組織に栄養を供給する血管を閉鎖する（塞栓療法）、ラジオ波の熱で焼却する（ラジオ波焼却療法）など現在では多くの術式が開発されています。また、腹腔鏡手術やロボット手術などといった技術の進化もあり、より患者さんに負担が少ない手術が行われるようになってきました。

放射線治療は、臓器にできたがんや周囲のリンパ組織などに放射線を当てて駆逐する治療方法です。外科手術に比べて負担が少なく、またサイバーナイフのように全方位から弱い放射線を患部に集中させることで正常組織への影響を少なくする技術も登場しており、近年では外科手術に代わる治療法としても注目されています。また、放射性同位体を使った薬剤も承認されており、全身治療にも利用されるようになってきました。

薬物療法は、がんに関する詳細な研究が進むとともに急速に進化し、かつては諦めるしかなかった転移性のがんでも社会復帰が望める時代となりました。特にがん細胞特有の分子に狙いを定めた「分子標的薬」や、がん細胞が免疫細胞の攻撃をかわす機能を阻害しノーベル賞受賞にも繋がった「免疫チェックポイント阻害剤」の登場は「がん治療のパラダイムシフト」とも言われています。さらに、膵臓がんに代表されるような難治がんの治療に障害となっている「がん微小環境」を変える研究も進んでおり、近い将来、がんの克服も夢ではないでしょう。

現在、1,000種類を超えるがんが知られていますが、そのひとつひとつで治療ガイドラインが異なります。例えば、肺で見つかった腫瘍は肺がんとは限りません。腎臓から転移したがんであれば腎臓がんの治療ガイドラインに沿った治療を行わないと治療効果は期待できません。それゆえ、がんの確定診断は慎重かつ正確に行う必要があります。直接、内視鏡や穿刺などにより病理切片を採取して病理診断を行うほか、CT/MRIといった画像診断技術が進化しています。

▶がんの３大治療法

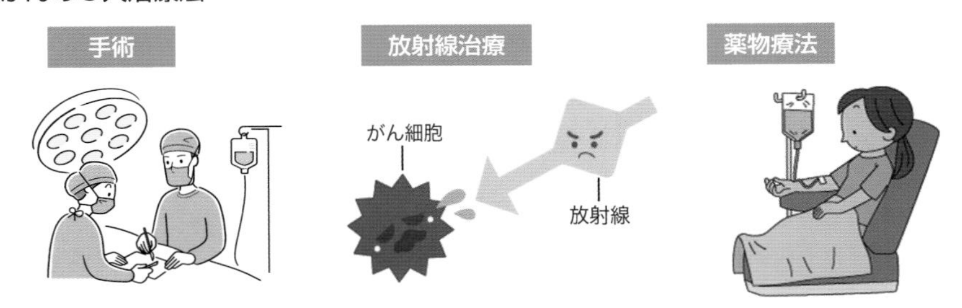

がん研究の進歩とがん治療の変化

昔は不治の病と言われたがんですが、3大治療法に加えて新たな治療法も開発されてきています。「免疫療法」はそのひとつで、もともと生体内に備わっているがん免疫を高める治療法です。2019年に国内で承認されたCAR-T療法はその代表例で、患者さんから採取したT細胞（がんに対峙する免疫細胞のひとつ）の遺伝子を組み替えて攻撃性を高めたものを患者さんに戻す治療法として、白血病や悪性リンパ腫で使われています。また、光や超音波といった物理的エネルギーを利用した全身療法も臨床開発中です。

用語解説

【分子標的薬】

がん細胞に特異的に発現する特徴を分子や遺伝子レベルで捉えてターゲットとし、がん細胞の異常な分裂や増殖を抑えることを目的とした治療薬。

【免疫チェックポイント阻害剤】

がん細胞が持つ、リンパ球などの免疫細胞（T細胞）からの攻撃を抑制する分子をブロック（阻害）して、免疫細胞ががん細胞を攻撃できるようにする薬剤。

▶遺伝子の解明とがん治療の歴史

1953年	英国のジェームズ・ワトソンとフランシス・クリックがDNAの二重らせん構造を解明。
1998年	米国ＦＤＡにより、世界初のヒトモノクローナル抗体医薬「トラスツズマブ」が乳がんの治療薬として承認。
2001年	米国ＦＤＡにより、世界初の低分子分子標的薬「イマチニブ」が慢性骨髄性白血病の治療薬として承認。
2003年	日本を含む国際プロジェクトでヒトゲノム（ヒトのすべての遺伝情報）解読が完了。
2017年	米国ＦＤＡにより、世界初のＣＡＲ－Ｔ療法剤「チサゲンレクロイセル」が難治性悪性リンパ腫の治療薬として承認。
2018年	米国のジェームズ・Ｐ・アリソンと日本の本庶佑が「免疫チェックポイント阻害因子の発見とがん治療への応用」によりノーベル生理学・医学賞を受賞。
2019年	日本で、次世代シークエンサーによるがん遺伝子パネル検査が保険適用となり、がんゲノム医療が本格的に始まる。
2020年	フランス出身でドイツのエマニュエル・シャルパンティエとアメリカ出身のジェニファー・ダウドナが簡単に遺伝子を操作できるゲノム編集法を開発したことで、ノーベル化学賞を受賞。

＊米国ＦＤＡ…「アメリカ食品医薬品局」

薬物療法における
これまでの課題

がんの薬物治療では、細胞毒として働く薬剤と細胞増殖を抑える薬剤を併用して細胞死へと導くことが主流です。このときに、いくつかの課題があります。

ひとつは、血液中に注入した抗がん剤ががん細胞に届きにくい（届かない）場合があるというものです。図はヒトの体の血管系とリンパ系のパイプラインを示したものです。ここに投与された薬剤は、

A、吸収（Absorption）
D、分布（Distribution）
M、代謝（Metabolism）
E、排泄（Excretion）

といった４つの過程（ADME・薬物動態）を経ることになります。まず、投与された薬剤は吸収後、血液により全身に運ばれて希釈されます。経口投与の抗がん剤も多くあります。その場合は、小腸から吸収され門脈を経て肝臓に運ばれたのち、全身に拡がります。さらには代謝されて別の化合物になったり分解されるため、それらを見越した投与量が必要となります。シャーレの上に並べたがん細胞では効果があったのに、動物実験では効果が得られないことがよくあるのはそのためです。また、投与された薬剤は、がん細胞だけでなく正常細胞にも届くため、それが、脱毛、悪心、下痢、骨髄抑制といった副作用に繋がります。

▶血管系とリンパ系のパイプライン

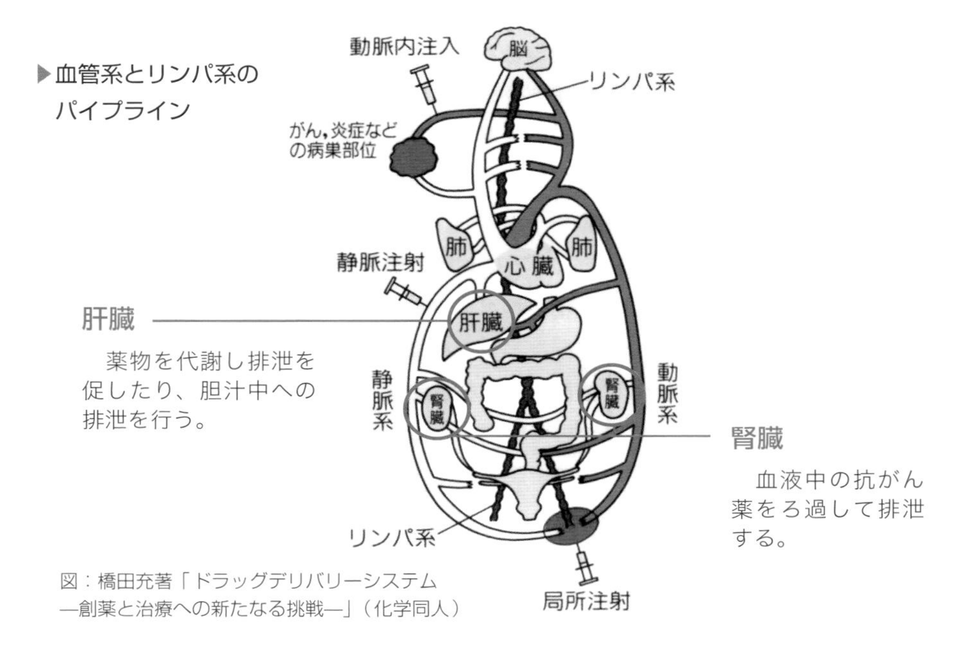

図：橋田充著「ドラッグデリバリーシステム —創薬と治療への新たなる挑戦—」（化学同人）

ドラッグ・デリバリーシステムで副作用の少ない薬物療法

近年、さまざまな分野で活用されているナノテクノロジーを用いた医療「ナノ医療」では、10～100nm程度｛nm（ナノメートル）は10億分の1メートル｝の粒子を用いて治療を行います。このサイズは、ウイルスとも同じスケールであり、腎臓で血液から尿中に濾され出されることなくがん組織に届くために大変重要となります。そのため、このサイズ領域における「ナノ医療」が今、大変注目されています。

ナノ技術を使うことで、抗がん剤をがん細胞だけに届けることが可能になれば、抗がん剤の投与量を減らすことができ、副作用や医療費の問題が解決できます。

そこで研究が進められているのが「ドラッグ・デリバリーシステム（DDS）」です。

ドラッグ・デリバリーシステムは、「薬の宅配便」とも称される、狙った組織に必要最低量の薬剤を送達させる技術（ピンポイントデリバリー）のことです。このシステムに使われるナノスケールの運び屋「ナノマシン」は、実用化まであと一歩というところまで来ていて、有効性と安全性が認められれば、医薬品としてさまざまな医療機関で使用できるようになります。

さらに、このナノマシンを使って、体内で薬を「作り出す」という画期的な研究も進められています。

▶抗がん剤のピンポイントデリバリー

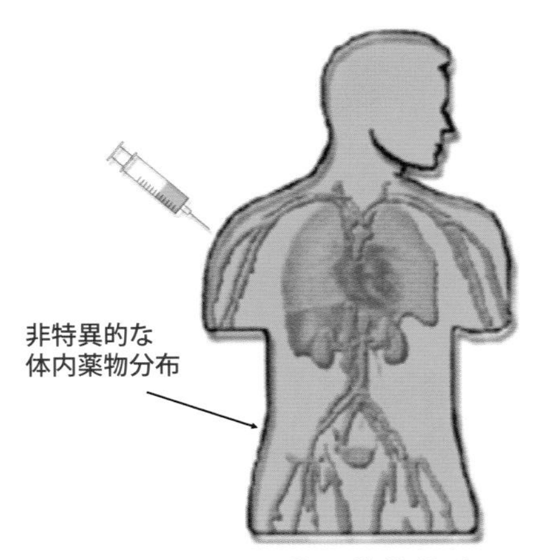

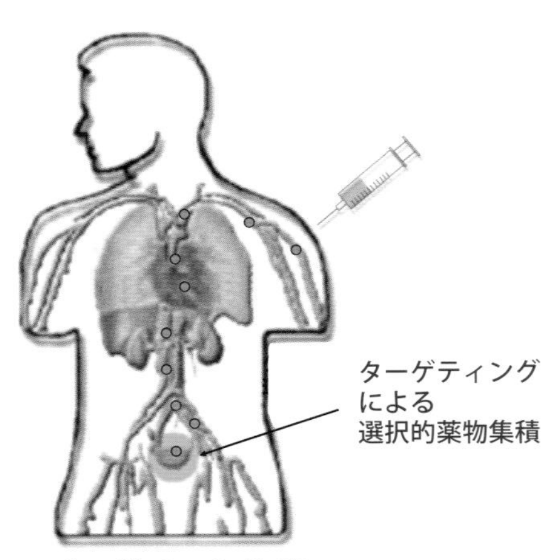

ヒトの体内で異常を発見し診断し治療する「体内病院」

ナノ医療イノベーションセンター（iCONM）では、将来の目標として、ナノマシンを使った「体内病院」構想を掲げています。

この夢のような構想では、まず体内を巡回するナノマシンが異常な細胞や組織を検出すると、それがどのような病変で将来どのような疾患に発展するかを見定め、確定診断を行います。そして、その診断に合わせた治療を本人も気づかないうちに行ってしまうというものです。健康診断で異常が見つかると精密検査を受け、必要ならば適切な治療を受ける今の仕組みを体内で行うため「体内病院」と呼んでいます。

この体内病院が現実になると、病気の早期発見、早期治療が可能となるばかりか、「病が気にならない社会」の実現に繋がります。

▶体内病院のイメージ

ナノマシンが体内で細胞の異変を早期に検出し、診断、治療を行うため、「いつでも、どこでも、誰でも」知らないうちに健康になっているというサイクル構想。

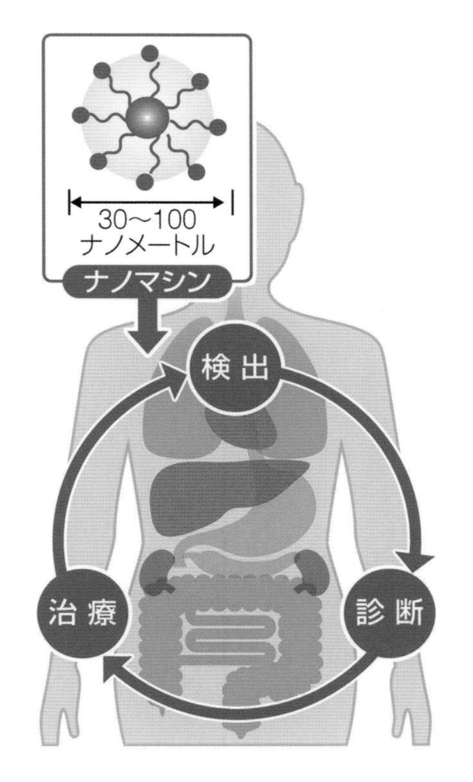

3. 片岡一則先生の研究内容

第34回向井賞を受賞された片岡一則先生の研究の一部を要約してご紹介します。

体内で薬を運び、作り、操る高分子の開発

～「ナノマシン」技術によるがん治療～

がん細胞を標的とするナノマシンとは

薬を「必要な時」に、「必要な場所」で、「必要な量」だけ作用させるため、薬を運ぶカプセルが「ナノマシン」です。その大きさは約50nmで、ウイルスと同じくらいの大きさです。

ナノマシンの代表的なものが「高分子ミセル」という化合物で、同一分子上に、疎水性（水に溶けにくい）高分子のポリアミノ酸（PAA）と親水性（水に溶けやすい）高分子のポリエチレングリコール（PEG）を結合させた直鎖状分子を水中に投じると、PAAを内側に、PEGを外側に二層構造となった集合体に自然となります。この時、PAAに薬剤を結合させておくと薬剤内包型のナノマシンを得ることができます。

血液は、異物を検知すると血栓ができる性質があります。傷口にかさぶたができるのはそのためです。もしナノマシンが異物と判断されてしまったらナノマシンの表面で血栓ができ、さらには血液が固まってしまいます。そこで、血液中でも安定で、生体適合性の高いポリエチレングリコール（PEG）という素材で外側を包み込む構造にしたのです。PEGは、シャンプーや清涼飲料水、消化管洗浄にも使われている安全性が保障された物質です。

▶ナノマシンの構造

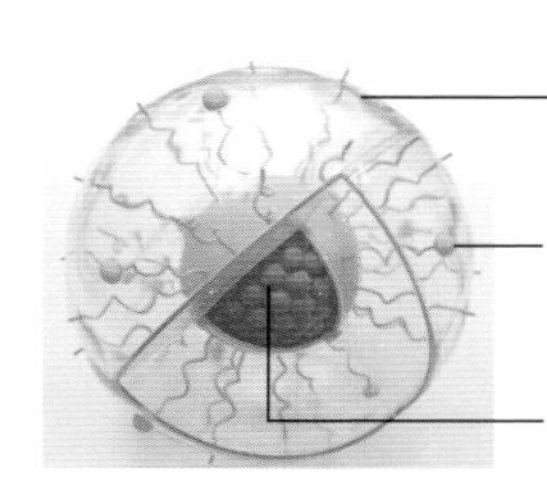

がん血管の大きな孔だけを通り抜けるナノマシン

通常、血液は血管の小さな孔から酸素や栄養素を細胞に送るのですが、がん細胞はその孔を大きくすることで、急速に成長するための栄養素を多めに吸収する性質を備えています。

そこで正常な血管の孔は通過せず、がん血管の大きな孔だけ通過するサイズに設計したナノマシンを作れば、がん細胞だけを狙い撃ちできます。がん組織にある血管の孔の大きさは、およそ100nmなので、その孔を簡単に通過できる50nmというサイズで開発を進めました。

抗がん剤そのものでは、サイズがとても小さいために正常な血管の孔も通過でき、正常な細胞にも届いてしてしまい副作用を引き起こしてしまいます。

がん細胞の耐性を打ち破るナノマシンの設計

ナノマシンはがん細胞に近い血管の孔だけを通り抜けることはできるのですが、がん細胞には耐性があります。抗がん剤などの異物を膜で覆い、その働きを不活性化させてしまうのです。そこで研究を進めたところ、その膜で囲まれた小胞の中はがん細胞の核に近づくほど酸性度が高くなる性質があることが分かりました。そこで、酸性度が高くなる変化をきっかけにナノマシンが崩壊し、内包された抗がん剤が放出されるようにナノマシンを設計しました。

さらに、その外側には、がん細胞への取り込みを促進するリガンド分子を取り付けました。リガンド分子とは、特定の受容体（レセプタ）に特異的に結合する物質です。

▶高分子ミセルががん細胞に届くメカニズム

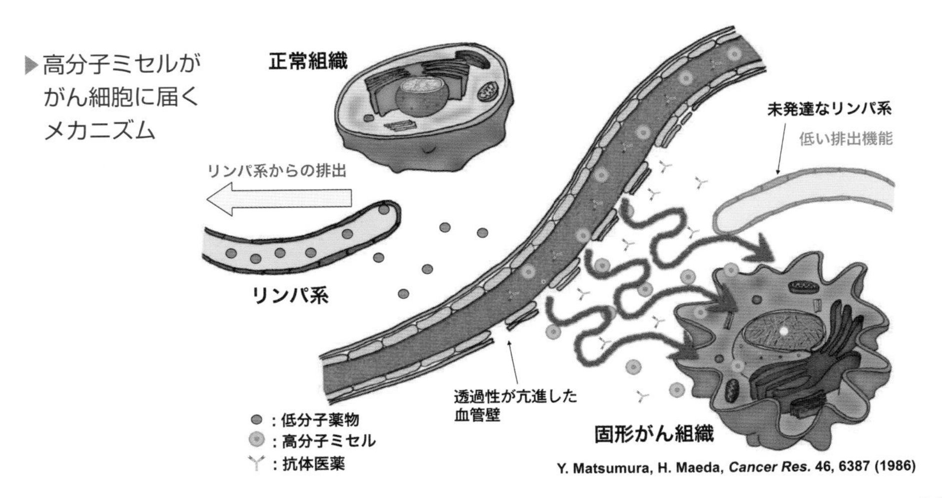

脳のバリアを突破するナノマシンの設計

治りにくいがんの代表として悪性脳腫瘍があります。その治療には脳に薬を届ける必要がありますが、これまで脳腫瘍に薬を届けることは困難でした。その理由は、これまで説明してきた大腸がんや乳がん等の固形がんの場合とは異なり、脳腫瘍の血管にはミセルが通過できる50nmくらいの孔が開いていません。これは、脳の血管には不必要なものを入れないようにする「血液-脳関門（BBB）」というバリアがあり、このバリアが脳腫瘍の場合にも機能しているからです。脳腫瘍血管のバリアのことを特に、「血液-脳腫瘍関門（BBTB）」と言う場合もあります。

そこで、この脳腫瘍血管のバリアを超えるためにナノマシンの設計を改良しました。それは、ナノマシンの外側に、脳腫瘍血管の内側を覆う内皮細胞の中を通過できるリガンドを取り付けることです。具体的にはがん細胞の大好物であるブドウ糖をリガンドとしてミセルの外側に取り付けました。大好きなブドウ糖をより多く取り込むために脳腫瘍細胞は、血管の内皮細胞に「もっとブドウ糖を取り込め」という指令を出します。その指令を受けて内皮細胞の外側にはブドウ糖を取り込むためのタンパク質（トランスポーター）が数多く現れます。このトランスポーターにブドウ糖をまとったミセルは結合し、内皮細胞の中を通って血管

▶脳のバリア・血液-脳腫瘍関門（BBTB）

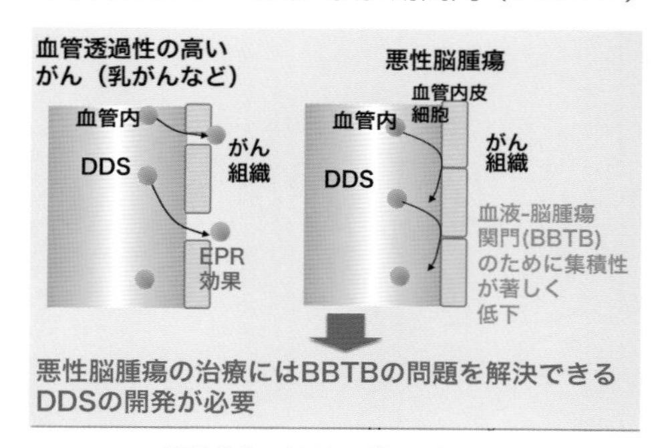

※DDS＝ドラッグ・デリバリーシステム

▶ドラッグ・デリバリーのための高分子ミセル設計

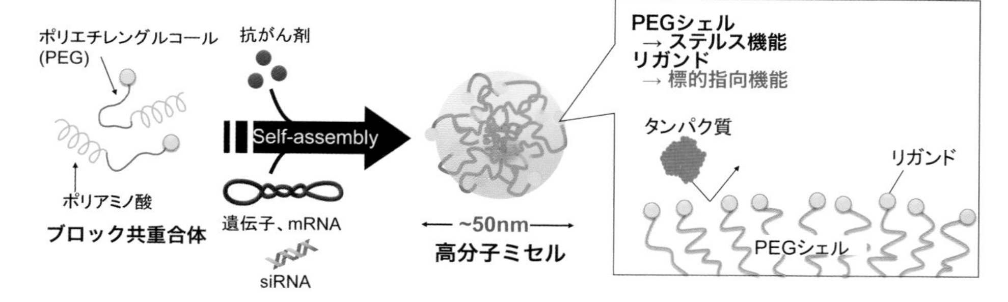

外側に位置する脳腫瘍の中へと入り込んで行くことができるのです。

このように脳内に効率良く薬を届けることができると、優れた薬効が期待できるだけではなく、薬の投与量を減らせるので、副作用を減らすことにもなります。さらに、このようなブドウ糖結合戦略はミセルだけではなく、冒頭で紹介した「免疫チェックポイント阻害剤」として働く抗体（アベルマブ）にも適用することができます。図に示すようにブドウ糖で覆われた抗体はスムースに脳腫瘍内に運ばれ、さらに脳腫瘍の中でブドウ糖を結合したPEGが外れることで抗原への結合能が復活し、本来のチェックポイント阻害機能を発揮します。例えて言うと、マントを被った抗体が血管の内皮細胞の中をくぐり抜けて脳腫瘍の中に侵入し、マントをかなぐり捨ててがん細胞を攻撃するというわけです。

では、何故、脳腫瘍の中でマントを脱ぐことができるのでしょうか？実は、脳腫瘍の細胞は増殖が速く、活発に活動しているので酸素を多く消費します。酸素が少ないということは正常組織に比べて還元状態になっているということです。図の中に「ジスルフィド結合」とありますが、この結合は還元状態になると切れてしまう性質があります。そのため、PEG鎖が抗体から脱離して、抗体が活性状態に戻るというわけです。血管の障壁を越えて、脳腫瘍の中に侵入し、さらには腫瘍内のミクロな環境変化を検知して構造が変わって､がん細胞を攻撃する､まさにナノマシンと言える機能が発揮されます。

▶ブドウ糖を取り付けた抗体の設計

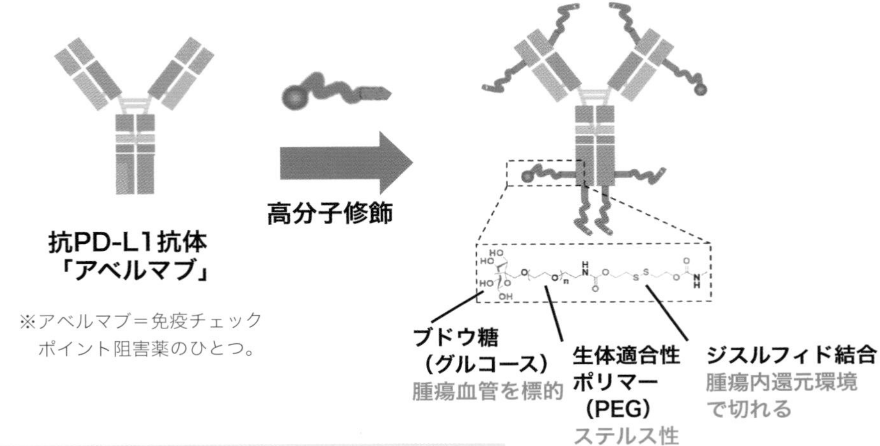

T. Yang, et al, *Nature Biomed. Eng.* 5(10), 1274-1287 (2021)

脳血管の孔のサイズに合わせたナノマシン

これまで述べてきたように、脳腫瘍では、他の組織のがんとは血管の構造が全く異なり、ミセルが通過できる50nm程度の孔は開いていません。しかし、よく調べて見ると、孔が無い正常な脳におけるBBBに比べて脳腫瘍のBBTBでは、小さいながらも粒子が通過出来る孔が開いていることが分かりました。例えば、前述の抗体医薬であるアベルマブは、ブドウ糖を付けた場合に比べて量は少なくなりますが、BBTBを越えて脳腫瘍の中に運ばれます。これは抗体と同程度の大きさ、つまり20nmくらいの粒子であればBBTBをある程度通過できることを意味します。

そこで、脳腫瘍の血管の隙間（20nm程度）をすり抜け、かつ臨床応用に適した生体適合性と作りやすさを兼ね備えたナノマシンの開発を進めました。それが、核酸医薬を送達するユニットPIC（ポリイオンコンプレックス）型のドラッグデリバリーシステムです。核酸医薬とは、核酸（DNAやRNA）の構成成分から作られる医薬品で、疾病に関わるmRNAの作用を抑制することで治療を行うものです。

実際、脳腫瘍細胞特有のmRNAの働きを抑える核酸医薬をこのユニットPICに搭載し、脳腫瘍のマウスに投与したところ腫瘍が劇的に小さくなり、治療を行った全てのマウスの治癒が確認されました。この動物実験の結果を踏まえてこの核酸医薬搭載ユニットPICは現在、脳腫瘍の患者さんへの投与（臨床試験）が始まっています。

▶キャリアシステムの正確なサイズ制御

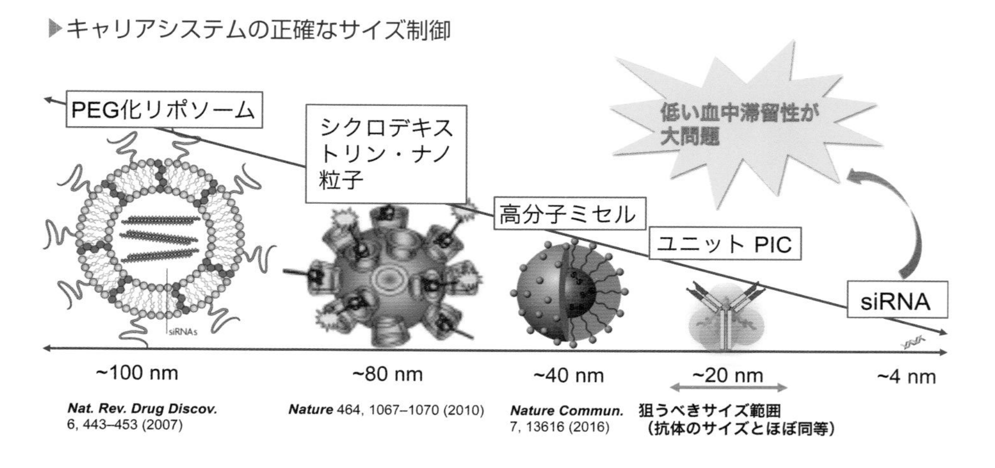

mRNAを運ぶナノマシン

mRNA（メッセンジャーRNA）は、新型コロナウイルス感染症ワクチンでも話題になった「タンパク質の設計図」です。生体内の多くの機能は、特定のタンパク質の増減で制御されています。その設計図であるmRNAは、必要時にDNAからの転写により作られ、目的のタンパク質を生成すると壊れて無くなります。このDNAからmRNAの転写を制御（エピゲノム創薬）したり、できたmRNAを不活化する核酸医薬が注目されています。また、目的のタンパク質が不足していることで発症している疾患に対しては、そのタンパク質の設計図となるmRNAを補充すればよく、治療を目的としたmRNAの創出が進んでいます。しかしながら、mRNAはとても壊れやすいため、体内に直接入れるとバラバラになってしまいます。そこで、mRNAを体内でも安定化させた状態で目的の組織に届ける技術が必要となります。片岡先生は、このmRNAやDNA、さらには核酸医薬のデリバリー技術に関する世界的リーダーで、2023年度クラリベイト引用栄誉賞受賞の決め手ともなりました。抗がん剤搭載ナノマシンと異なり疎水性部分のPAAにmRNAを化学結合させることはできません。片岡教授は、mRNAや核酸医薬がマイナス電荷を帯びていることに着目し、PAAパートとしてプラス電荷を持つポリオルニチンやポリリジンといった塩基性アミノ酸のポリマーを用いることを検討し、それによりmRNA内包ナノマシンの創成に成功しました。

▶ mRNAを搭載する利点

mRNA搭載ナノマシン

mRNA

mRNAの分解を抑制

免疫反応を抑制

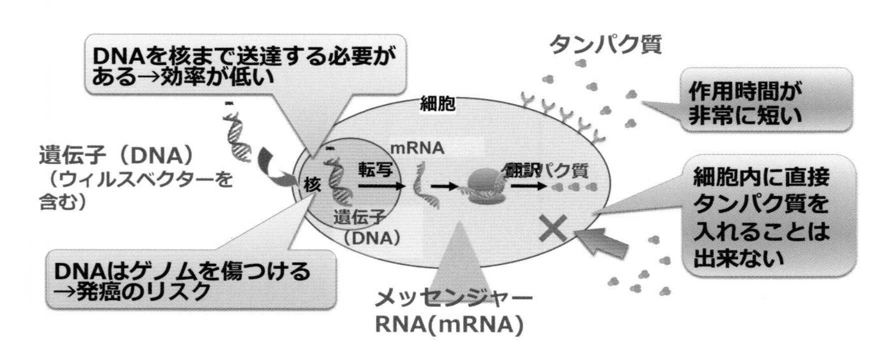

mRNA医薬の関節軟骨再生医療への応用

mRNA医薬は、関節の軟骨再生医療にも用いられています。国内の変形性関節症患者数は1,000万人とも言われ、それが原因で寝たきりとなる高齢者もいます。唯一の治療法は人工関節置換術ですが、大手術となることが多く、また血栓症などの副作用が懸念されます。関節軟骨は動かすたびに表面が削られてザラザラとなります。若いうちは破骨細胞という細胞が表面を削り、骨芽細胞が新しい軟骨を形成するため表面がツルツルに保たれています。しかしながら、加齢とともにこの新陳代謝が衰え、ザラザラの状態が続きます。すると、そこに炎症細胞が集まりだして炎症が起き激しい痛みを生み出します。関節軟骨を再生する骨芽細胞の働きを強めるタンパク質はすでに分かっているため、そのタンパク質の設計図となるmRNAを搭載したナノマシンの利用が研究されています。

この研究は、世界初の軟骨再生薬物治療につながるものとして注目されています。

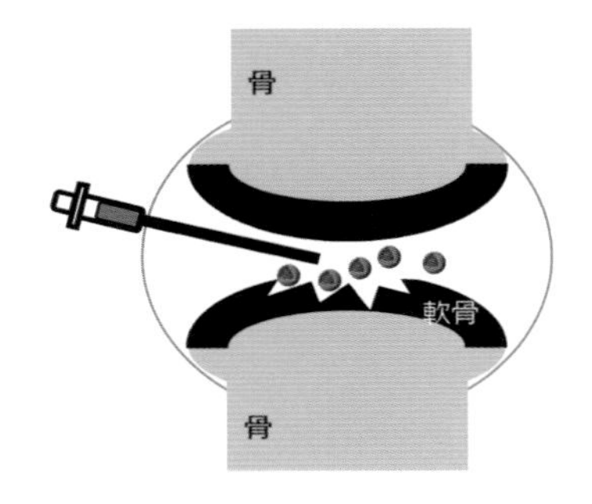

mRNA 医薬の関節内投与

▶**治療後の膝軟骨の組織像**（濃いオレンジの部分が軟骨。黄色い矢印の箇所がダメージを受けた軟骨部分）

コントロール前

治療用転写因子mRNA投与後

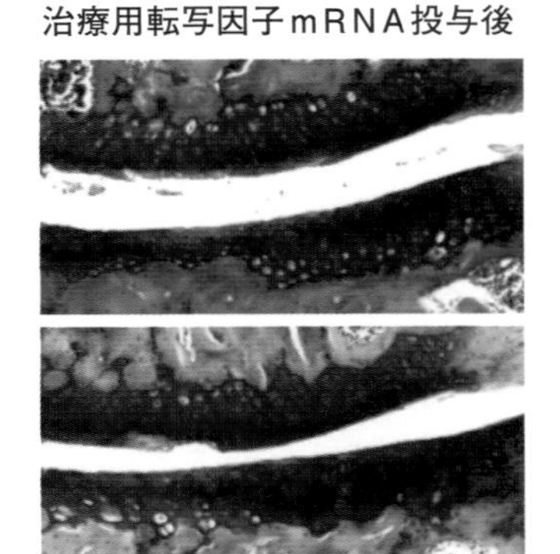

体内で薬を「作る」スマートナノマシン

最後に、体内で薬を「作る」スマートナノマシンを紹介します。

下図で示す通り、このスマートナノマシンは、体内の狙ったところで薬の前駆体の構造を転換して活性体に変える触媒機能や内包する遺伝子の働きで光などの外部信号に応答して必要なタンパク質を複製する機能を備えています。触媒機能を有するナノマシンについては、触媒として働く酵素を搭載したスマートナノマシンが、狙った疾患部位で活性型薬剤を産生できることがすでに実験的にも証明されています。

また、複製機能では疾患部位で外部信号に応じてタンパク質を複製することからさらに最近では、マウスの脳内でゲノム編集を行うことまでが可能となってきています。

このような触媒機能や複製機能を持ったスマートナノマシンが実用化されることで、肝炎や遺伝病の根本治療の実現をも期待できるのです。

▶体内で薬を「作る」スマートナノマシン

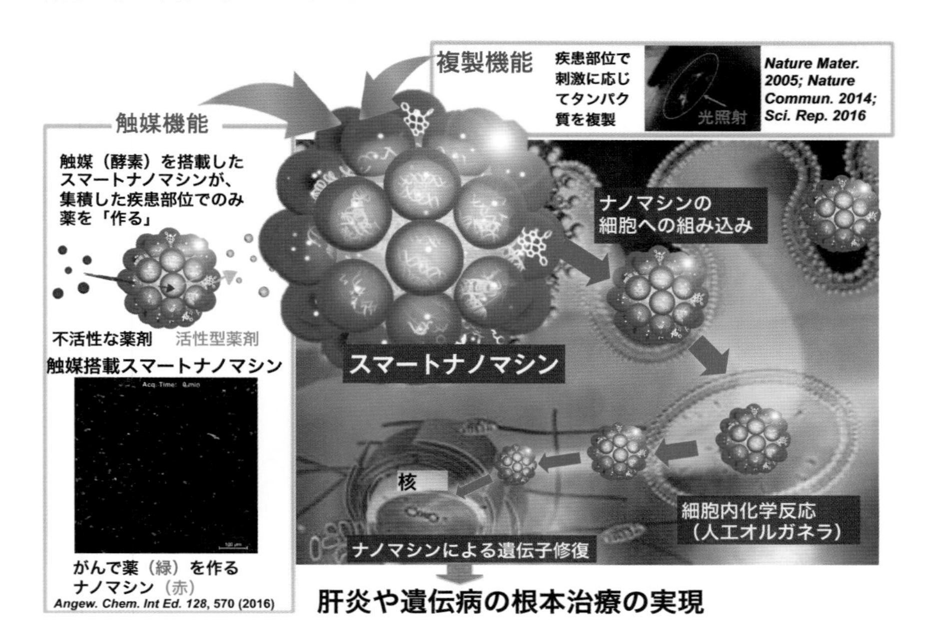

4. 公益財団法人川崎市産業振興財団 ナノ医療イノベーションセンター訪問

片岡先生が研究を進められているナノ医療イノベーションセンターは、川崎市の国際戦略拠点「キングスカイフロント」にあります。

ライフサイエンス・環境分野における世界最高水準のイノベーション拠点

ナノ医療イノベーションセンターは、2015年に運営を開始しました。人々が様々な病気から解放されていくことで、自律的に健康になっていく社会（スマートライフケア社会）を目的に研究が進められています。「体内病院」実現の目標である2045年に向けて、センター長の片岡先生は手ごたえを感じています。2045年は、著しい進化を遂げている人工知能の性能が、人類の知能を超えると予測されている年でもあります。

公益財団法人川崎市産業振興財団ナノ医療イノベーションセンター
川崎市川崎区殿町３丁目25番14号
https://iconm.kawasaki-net.ne.jp/

ナノ医療イノベーションセンターは、「微細加工・材料評価」、「有機・高分子合成」、「in vitro評価（遺伝子、生化学、細胞）」、「in vivo評価（病態モデル）」の４フロアで構成されています。大学や企業から集まった様々な専門分野の研究者が研究を行っています。働く空間「ラボラトリー」として、オフィスには仕切りがなく、いろいろなチームがすぐに連絡できるつくりになっています。

各フロアに実験室が整然と配置されています。

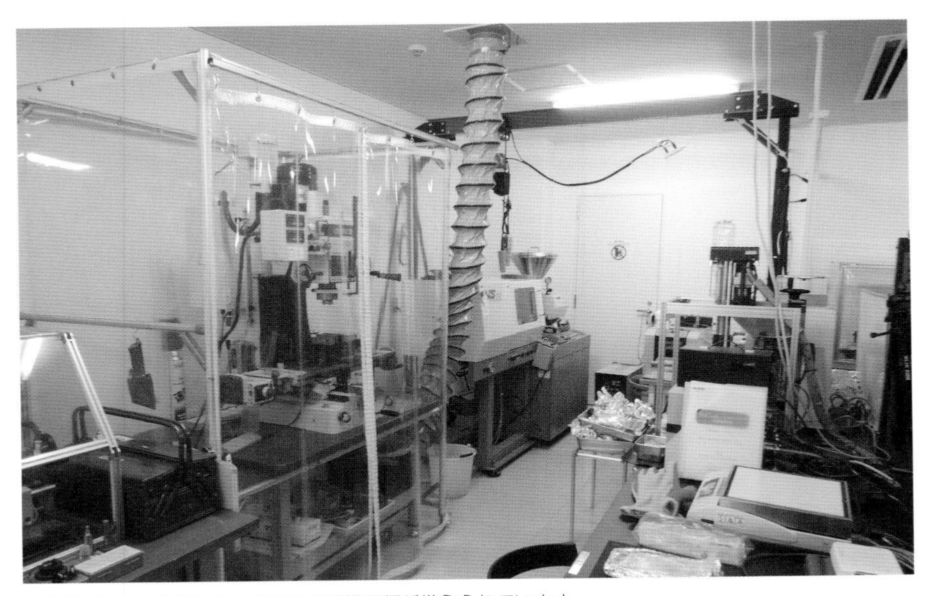

最先端の研究を行うため、高度な実験機器類が備えられています。

研究者インタビュー

うまくいかないことがあっても研究は面白い

研究員　太田美由紀さん（日油株式会社）

Q　高校時代から理系に興味がありましたか？

A　数理系科目は好きでしたが、化学はあまり成績が良くなかったです。ただ、勉強していくうちにできることが多くなり、そうするとだんだんとやる気が出てきて、何とか苦手を克服することができました。

Q　研究者としてのやりがいは？

A　実験をしていると、思ったような結果が出ないことがあります。その時、原因を考えさらに次の実験に進みます。実験、結果の検証、さらに実験と、目標に向かってそのサイクルを繰り返していくことが楽しく、やりがいがあります。ナノ医療イノベーションセンターには、私のような企業の研究者もいるし、大学の研究者もいますので、大変刺激になっています。

Q　高校生に伝えたいことは？

A　苦手な科目があっても、とりあえずがむしゃらにやってみるといいと思います。わかること、できることが少しずつでも増えてくると、それが自信になってモチベーションが上がってくると思います。できるようになるとそこから自分の思わぬ可能性が広がってくると思います。ぜひ頑張ってください。

共通の居室は、様々な分野の専門研究員が集まる、研究室ではなく、働く空間「ラボラトリー」。

人を救う仕事がしたい

研究員　神田循大さん
（川崎市産業振興財団ナノ医療イノベーションセンター
一木ラボ　特任研究員）

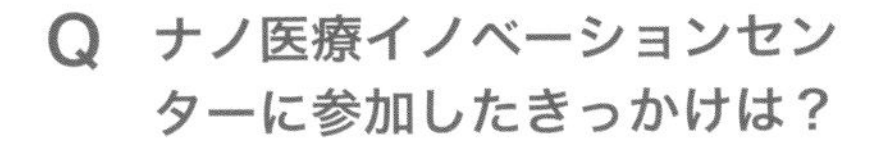

Q　ナノ医療イノベーションセンターに参加したきっかけは？

A　私は東京大学の一木隆範研究室（東京大学大学院工学系研究科マテリアル工学）で博士号を取得したのち、看護×工学を推進するプロジェクトCHANGEに参画するため、ナノ医療イノベーションセンターの特任研究員となりました。

Q　高校時代から理系に興味がありましたか？

A　自分では文系、理系とどちらかに興味があったというわけではありません。将来の可能性をできるだけ残しておくようにと、広く勉強していました。大学に入学して学部を選ぶときに、人のためになる勉強をしたいと工学部を選びました。

Q　研究者としてのやりがいは？

A　医療機関に負担をかけない社会のために、誰でも看護にあたれる仕組みや道具の研究をしています。実際に病院などの現場で生の声を聴き、それにこたえたいと努力しています。工学の知識を社会、人のために役立てる研究で、「人を救いたい」と考えてきたことが実現できていて、充実しています。ナノ医療イノベーションセンターのラボラトリーは、違う分野の専門家と直接話ができ、大変勉強になります。

Q　高校生に伝えたいことは？

A　理系を目指したいと思っているのであれば、国語など、あまり理系に関係がないと思われがちな教科をおろそかにしないことが大切だと思います。コミュニケーションをとったり、論文などを理解したりするためには、英語はもちろんですが、国語力が大切です。高校生のときは、まんべんなく教科を勉強することが、自分の将来の可能性を広げてくれると思います。

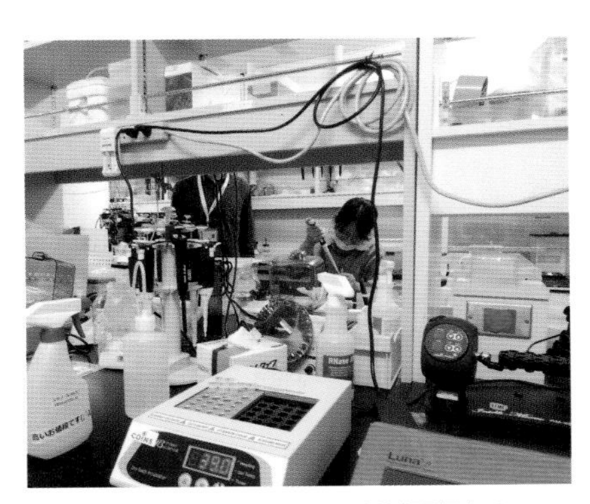

1階フロアーの「微細加工・材料評価」の実験室の様子。

偉大な発見は、いきなり完全な姿で科学者の頭脳から現れるわけではない。膨大な研究の積み重ねから生まれる果実なのだ。

マリー・キュリー

1867～1934年・フランス（ポーランド生まれ）

放射能の研究により、1903年に女性初のノーベル賞（物理学賞）、1911年にノーベル化学賞を受賞しました。

M. Sklodowska Curie

第2章

金属クラスターで次世代エネルギーの新素材を開発

1. 研究者・根岸雄一

ナノテクノロジー分野で注目されている、金属クラスターの研究をしている根岸雄一先生。東京理科大学の根岸先生にインタビューをしました。

略歴

1996年慶應義塾大学理工学部化学科卒業。2000年慶應義塾大学理工学部化学科助手、分子科学研究所助手/助教、2008年東京理科大学理学部第一部応用化学科講師、2013年准教授、2017年から東京理科大学理学部第一部応用化学科教授。

そろばんで全国大会出場、「数字」と「くふう」が大好き

Q　学生時代の思い出は？

A　生まれは埼玉県で、都会とは言えない場所でした。小学生の頃は、そろばんを習っていました。得意で、全国大会にも出場しました。そろばんをやっていたせいか、数字が好きでしたね。ギネスブックが好きで、いろいろな記録を見るのが楽しかったです。

スポーツも好きで、高校まで陸上に熱中しましたが、自分だけでなく、様々な陸上のタイムをチェックするのが好きでした。現在の記録はこのタイム、この大会でこんなタイムが出た、などと様々な記録を覚えるのが趣味みたいなものでした。そんなことから、数学や物理などの理系科目は得意で、自然と理系に進むようになったと思います。

Q　その他、覚えていることはありますか？

A　父親が電気会社で働いていました。当時持っていたラジオカセットレコーダーの調子が悪くなると、分解してその原因を調べ、修理したりすることが楽しかったです。また、ラジオコントロールカーをどうやって速く走らせるかを考え、電池の配列を変えたり、タイヤを付け替えたりくふうしていました。課題を見つけ、くふうして解決すること、考えてみると現在の研究にもぴったり当てはまる作業ですね（笑）。

根岸先生受賞歴	
2007年	PCCP Prize（英国王立化学会および日本化学会）
2008年	日本化学会進歩賞（日本化学会）
2012年	分子科学会奨励賞（分子科学会）
2018年	Distinguish Award 2018 for Novel Materials and Their Synthesis (IUPAC他)
2019年	第1回物質・デバイス共同研究賞（物質・デバイス領域共同研究拠点）
2020年	分子科学国際学術賞（分子科学会）
2021年	日本化学会学術賞（日本化学会）
2023年	第34回向井賞（東京応化科学技術振興財団）

クラスター研究で、
誰も知らない領域にたどり着く感動

Q　金属クラスター研究を始めたきっかけは？

A　最初大学では、当時話題になっていた宇宙物理について学びたいと思っていました。慶應義塾大学理工学部化学科で、クラスターの研究に出会いました。私自身、クラスターということを知らなかったのですが、茅幸二先生の授業で学ぶうちに、がぜん興味がわいてきました。これからの新しい分野で、やりがいを感じました。その後茅先生の研究室に入り、現在もクラスターの研究を続けています。

　私たちが目にしている物体は、原子が無限に連なったものです。クラスター研究は、原子をナノレベルで集合体（クラスター）にして新しい素材をつくります。現在、世界の研究者が研究を続けています。

　私自身、高校生や大学生になるときにぼんやりと持っていた希望分野とは違いましたが、クラスターとの偶然の出会いが、その後の自分の人生を変えた、研究者としての出発点だと思っています。

Q　研究をする喜びはどんなことでしょうか。

A　追い求めていたことが実現することでしょうか。自分が追い求める研究で、誰も実現したことがない成果を得られることだと思います。もちろん簡単には実現しませんが、くふうを重ねて実験し、結果として現れることが研究者、科学者の最大の喜びだと思います。私は助教の時に、金の原子の数をコントロールしてクラスターをつくろうと努力していました。苦労して成功した、そのときの感動は今も忘れることができません。

インタビュー動画

　タブレットかスマートフォンで右の二次元バーコードを読み込んでください。

▶根岸雄一先生インタビュー
http://kitanobook.co.jp/extra/extra15_mk3.html

「執着心」と「冒険心」が大切

Q　研究者にとって大切なことは何でしょうか。

A　こだわりを持つことが大切だと思います。実験をするのにも、こうしたらどうだろう？もっといい結果を出すためにはどんな方法があるのだろう？というように、試行錯誤を重ねることが大切です。執着心をもってとことんこだわることで、ひとつの実験からでも得られるものが大きく違ってきます。

また、ひとつの分野で深く研究することはもちろん大切なのですが、新しい技術を開発するためには、いろいろな分野の研究を応用させる必要があります。そのためには、今まで経験がない分野の勉強を一から始めることもあります。研究に終わりはありません。その時々で、新しい、知らない分野の研究にも飛び込んでみる、これからの研究者は、そんな冒険心が大切になってくると思います。

Q　今後の研究の目標はどんなことでしょうか？

A　金属クラスターを使って、環境問題に取り組んでいます。現在は、おもに石油などの化石資源を使ってエネルギーをつくっています。化石資源を使ってエネルギーをつくると二酸化炭素が発生し、地球温暖化につながります。

そこで注目されているのが水素です。水素はクリーンエネルギーと言われます。水素を燃やしてエネルギーをつくっても、残るのは水です。水素を効率よく製造し、化石資源を水素に変えることができれば、エネルギー問題、環境問題のどちらも解決できることになります。

水素から電気を発生させるために燃料電池などで現在使われているのが白金です。私たちの研究は、白金に代わる、効率よく電気を発生させる金属クラスターの開発です。未来の新たなエネルギー社会の実現に貢献したいと考えています。

Q　高校生に伝えたいことは何でしょうか。

A　私の研究しているナノテクノロジー、金属クラスターの研究は、未来の社会を変える新しい技術の研究です。研究者になり、世の中のためになる研究に打ち込むことは、とてもやりがいのあることです。ぜひ力を合わせて、未来のための研究をしようではありませんか。お待ちしています。

2. 金属クラスターの基礎知識

根岸先生の研究を紹介する前に、金属クラスターとはいったいどんなものかについて簡単に説明します。

原子の大きさとナノテクノロジー

ヒトの肉眼で見えるものの大きさは、0.1mmぐらいです。20世紀後半から高精度の電子顕微鏡が次々と開発されたことによって、ナノ（1nm=1mmの100万分の1）のスケール（領域)の小さな世界を見られるようになり、化学・物理学・生物学・医学など、さまざまな分野でナノスケールの物質研究が急激な進歩を遂げました。

スマートフォンなどに使われている集積回路の大きさは約100nm(1mmの1万分の1)、ウイルスの大きさは約10nm(1mmの10万分の1)です。

そして、あらゆる物質を構成する基本的な粒子である原子の直径は約0.1nm(1mmの1000万分の1)です。

「ナノテクノロジー」とは、さまざまなナノスケールの物質を研究してその性質を理解し、原子や分子の配列を自在に制御することで、有用な機能を得る技術のことを言います。

▶ナノスケール

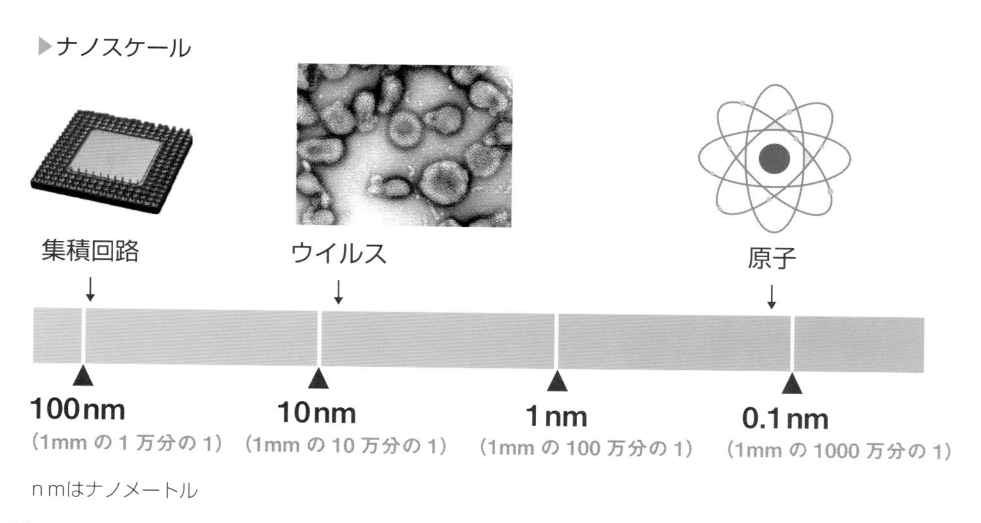

nmはナノメートル

同じ原子からなる物質が異なる性質を発現

ナノテクノロジーによってつくり出されたナノ物質の代表的な例として、炭素原子からなるフラーレンやカーボンナノチューブがよく知られています。

その他に、DNA分子や金属原子からなる金属クラスターもナノ物質です。

ナノテクノロジーでは、物質の原子や分子の数や組成を人為的に変えることで、有用な新規材料を創製したり、医療に役立てたりする研究が進められているのです。

▶さまざまなナノ物質

フラーレン

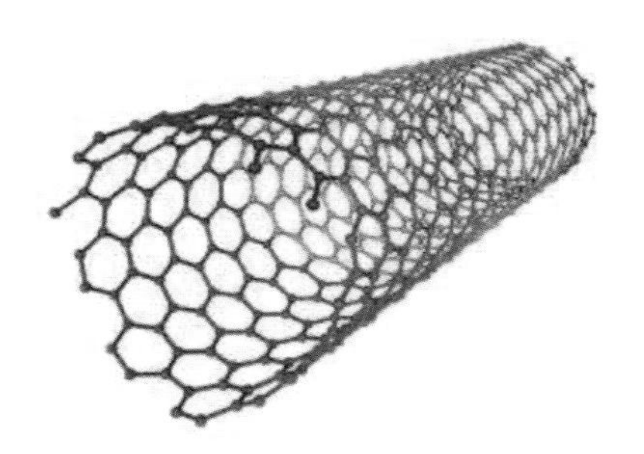

カーボンナノチューブ

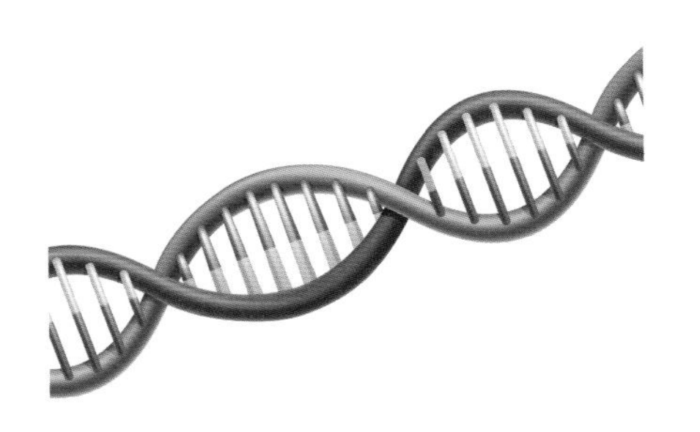

DNA 分子

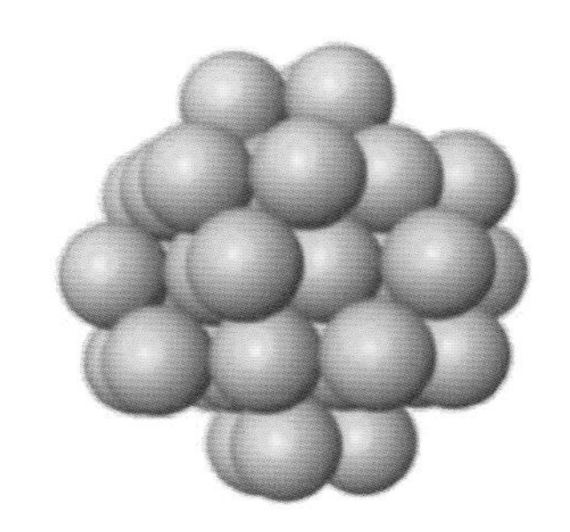

金属クラスター

金属クラスターとはどんなものか

▶金の原子（電子顕微鏡画像）

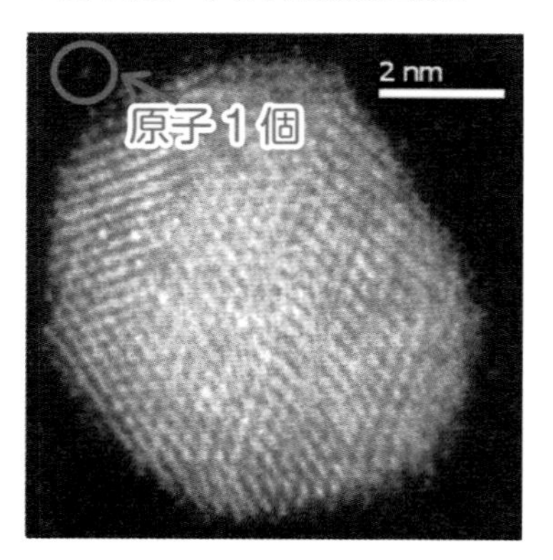

ナノスケールの物質のひとつに「金属クラスター」があります。クラスター（cluster）の英語の意味は「ブドウなどの房」です。クラスターは原子・分子の有限個の集まりとされています。金属クラスターは、金属の原子が10個から100個ぐらい集まった集合体です。大きさは１～３ nmぐらいになります。

金を例にすると、通常の金属は固体で、左の写真のような原子が密に集まった集合体です。一方の金属クラスターは、下の［図１］のような原子数が10～100個程度のもっと小さい集合体です。

▶［図１］金属クラスターのスケール

原子数
10

原子

金属クラスター

・新規な機能の発現
・顕著な原子数依存

金属クラスターは、構成する金属原子の数がわずか数個変わったり、組成が変わったりすると、通常の金属とは違った蛍光・光学活性、触媒活性などが現れるなど、特異な機能を示すようになります。

そこで、さまざまな金属クラスターを自由自在に手に入れることができると、新しい性質を持った素材がつくり出せるのです。

世界に先駆けた日本のクラスター研究

原子・分子の概念、固体・液体について理解が進んだ20世紀に、「クラスター」の意義を予見し、世界に先駆けて研究を進めたのは日本の研究グループです（久保亮五東京大学名誉教授、上田良二名古屋大学名誉教授のグループ）。

▶金クラスター（模式図）

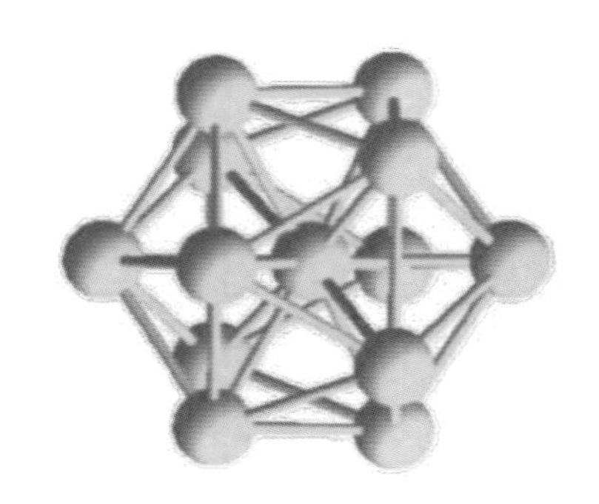

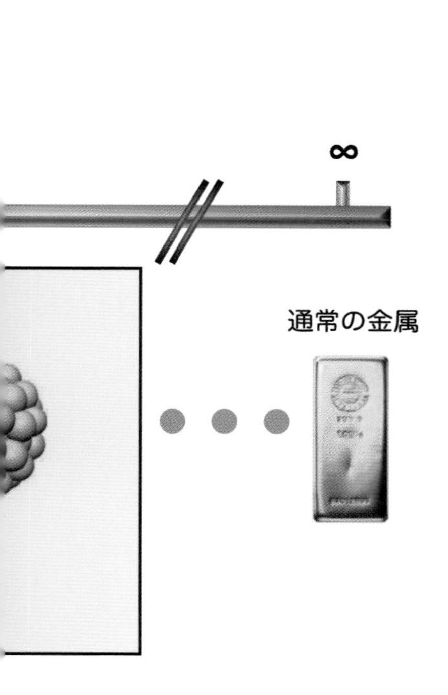

エネルギー・環境分野での金属クラスターの応用

金属クラスター材料を精密につくり出す技術を確立することは、ナノテクノロジーの発展に貢献します。また、その技術によってつくり出された金属クラスター材料は、さまざまな分野への応用が可能となります。

最も期待されているのは、現代社会の世界的課題であるエネルギー・環境分野への応用です。具体例としては、水分解光触媒、燃料電池電極触媒、自動車排ガス処理触媒などにおいて高機能触媒材料を創製することです。

化石燃料の涸渇と地球温暖化対策において、特に注目されているエネルギーが水素エネルギーです。太陽光や風力、バイオ燃料、水力など、自然エネルギーを使って水素をつくり、貯めておいた水素を酸素と反応させることで、温室効果ガスを排出しないクリーンなエネルギーを持続的に得ることができるからです。

金属クラスター材料による水分解光触媒は水素をつくり出す際に役立ちます。また、燃料電池電極触媒は水素を電気エネルギーに変える際にエネルギー効率を高めることに役立ちます。

金属クラスターは、水素エネルギー社会への応用が期待できるのです。

▶金属クラスター材料のエネルギー・環境分野での応用

②エネルギー・環境分野での応用
→高機能触媒材料の創製

水分解光触媒

①精密合成技術の確立
→ナノテク発展への貢献

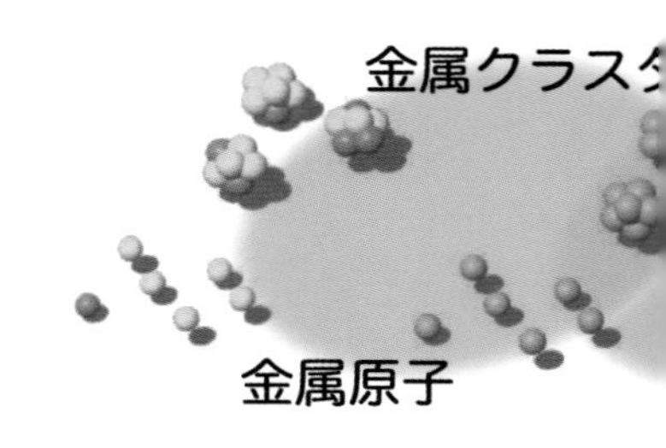

ナノテクノロジーサイドより
持続可能な社会移行へ貢献

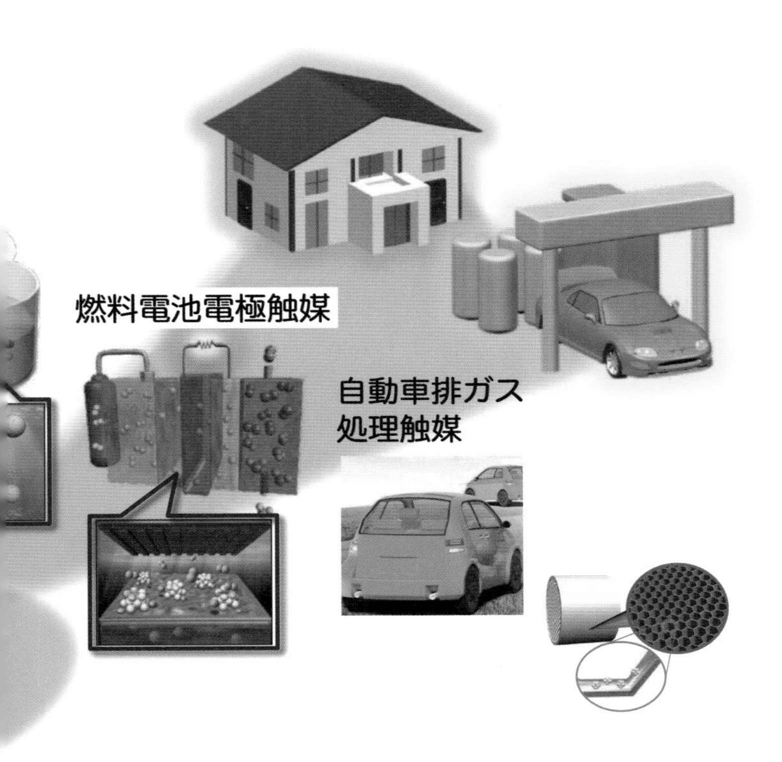

3. 根岸雄一先生の研究内容

第34回向井賞を受賞された根岸雄一先生の研究の一部を、要約して紹介します。

エネルギー・環境材料の高機能化に向けて
～原子の凝集を原子精度で制御する～

金属クラスターをつくる難しさ

研究の取りかかりは、溶液中で化学反応によって金属クラスターを手に入れることです。そこで、最もクラスター合成が容易な金を材料としました。金は溶液中で還元することで簡単に手に入れられるのです［図1］。

ただし、写真を見てわかるように、手に入れられる5nm程度の金クラスターは、大きさがバラバラです。

金属クラスターに対して極限的な精密合成技術（ナノテクノロジー）を確立す

▶［図1］金イオンの還元

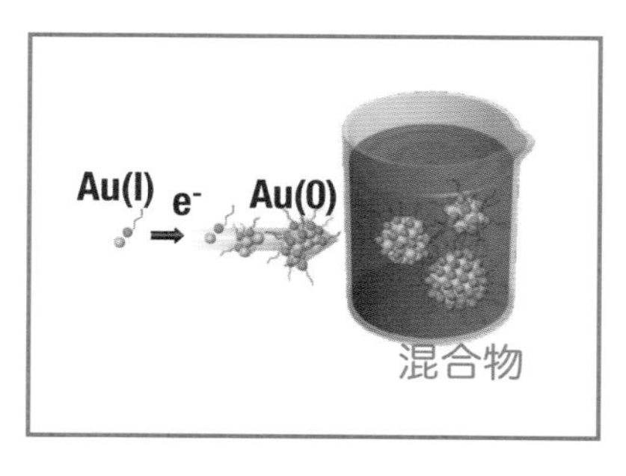

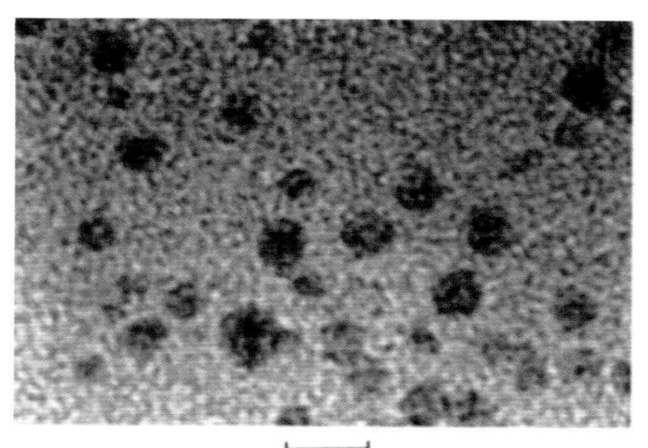

るには、金属コア（土台）のサイズ制御、金属コアの組成制御をすることが基本となります。サイズ制御というのは、ひとつの金属元素から、さまざまなサイズの金属クラスターをつくり出す技術です。

一方、組成制御というのは、ひとつの金属だけでなく合金でクラスターをつくる技術です。

金属クラスターのサイズ制御の技術をわかりやすく例えると、地球の直径を1mとし、直径10mmの球を原子とすると、日本中にばらまいた後、それらを集めて、全て同じ数でピンポン球サイズに凝集させるような、非常に難しい課題です。

金属コアのサイズ制御

地球の直径を1mとすると…

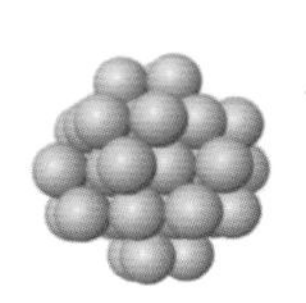
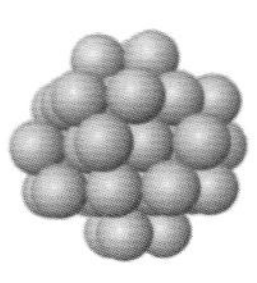
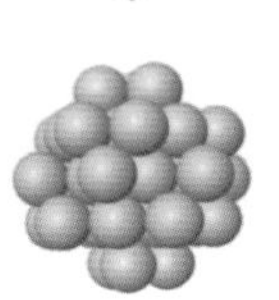
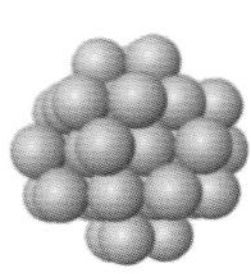
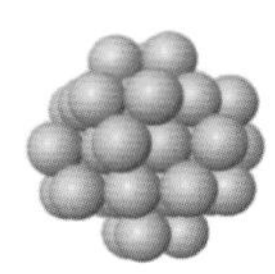

金クラスターの極限的精密合成に成功

金属原子が数個～百個程度凝集した極微細な金属クラスターは、通常の金属とは異なるサイズ特異的な電子/幾何構造を発現し、材料応用に有用な多くの物性や機能を持っています。根岸先生は、液相法にて合成される配位子保護金属クラスターを対象に、それらの化学組成及び幾何構造制御法の確立、及び構造一物性相関の解明に成功しました。

根岸先生は、金属クラスターの分離手段として逆相高速液体クロマトグラフィーに着目し、カラムや分離メカニズムなどにくふうを施すことで、25原子から520原子までの幅広い領域の金クラスターを精密かつ系統的に分離する技術、そして合金クラスターを化学組成ごと、電荷状態ごと、配位子の組み合わせごと、構造異性体ごとに分離する技術の確立に成功しました[図2]。

また、置換原子数と置換原子位置の両方が制御された合金クラスター、異なる正二十面体コアを有する合金クラスターの選択的合成法の確立に成功しました。

そして個々の金属クラスターの制御に加え、金属クラスターからなる一次元連結体の形成とその形成原理の解明にも成功しました。

次のページから、根岸先生の研究の成果を紹介します。

▶根岸先生の研究論文（2004年）

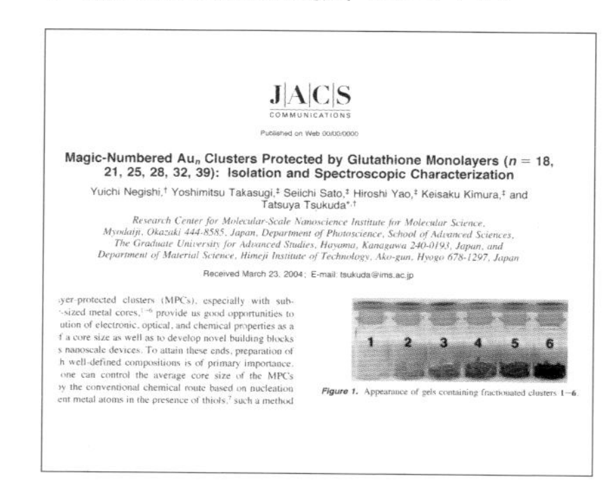

J|A|C|S
COMMUNICATIONS

Published on Web 00/00/0000

Magic-Numbered Au_n Clusters Protected by Glutathione Monolayers (n = 18, 21, 25, 28, 32, 39): Isolation and Spectroscopic Characterization

Yuichi Negishi,† Yoshimitsu Takasugi,‡ Seiichi Sato,‡ Hiroshi Yao,‡ Keisaku Kimura,‡ and Tatsuya Tsukuda*,†

Research Center for Molecular-Scale Nanoscience Institute for Molecular Science, Myodaiji, Okazaki 444-8585, Japan, Department of Photoscience, School of Advanced Sciences, The Graduate University for Advanced Studies, Hayama, Kanagawa 240-0193, Japan, and Department of Material Science, Himeji Institute of Technology, Ako-gun, Hyogo 678-1297, Japan

Received March 23, 2004; E-mail: tsukuda@ims.ac.jp

ayer-protected clusters (MPCs), especially with sub-sized metal cores,[1-6] provide us good opportunities to ution of electronic, optical, and chemical properties as a f a core size as well as to develop novel building blocks s nanoscale devices. To attain these ends, preparation of h well-defined compositions is of primary importance. one can control the average core size of the MPCs by the conventional chemical route based on nucleation ent metal atoms in the presence of thiols,[7] such a method

1 2 3 4 5 6

Figure 1. Appearance of gels containing fractionated clusters 1−6.

▶［図2］一連の金クラスターの水溶液

J.Am.Chem.Soc.,2005

成果１）巨大金クラスターの系統的な単離

ひとつ目の研究成果は、金クラスターの系統的な単離を成功させたことです。具体的には金の構成原子数25～520までの金属クラスターを系統的に分離することに成功しました［図3］。

［図4］は、金のコアの基盤構造を図示したものです。この電子構造を解析したところ、金クラスターは、原子数144と187の間で非バルク構造からバルク構造（下の用語解説参照）に転移することが明らかになりました。

▶［図3］金の構成原子数ごとの分離

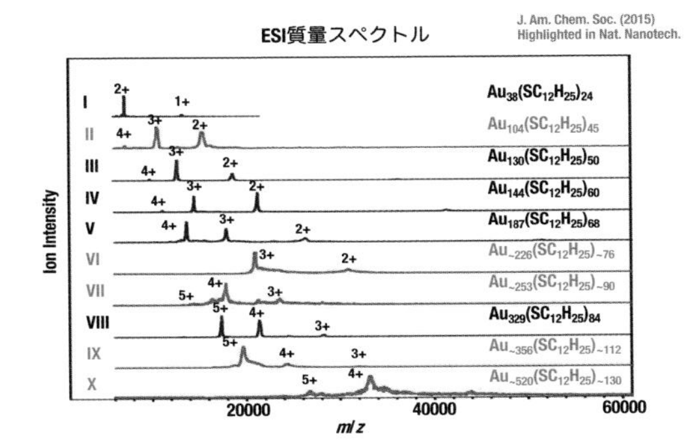

▶［図4］金の非バルクからバルクへの転移の解明

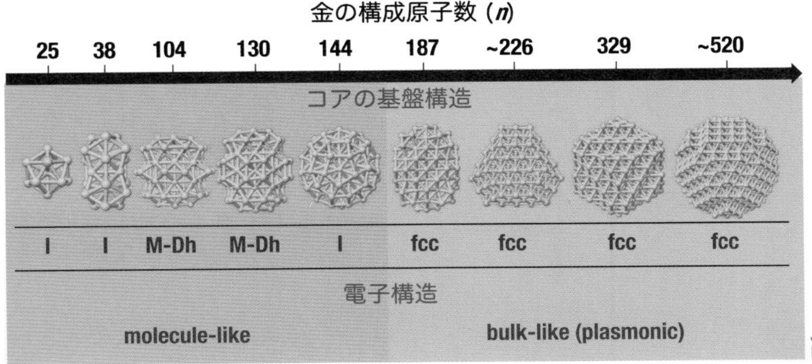

用語解説

【バルク】

バルクとは「塊」という意味で、ここでは原子が無限個集まった、周りにある通常の物質を指しています。

図中の金に関するバルク構造とは、通常の金と同じ構造を持っていることを意味しており、非バルク構造とは通常の金とは違う構造を持っていることを意味しています。［図4］より、金クラスター特有の構造は、金の構成原子数が144個より少なくなったときに初めて現れるようすがわかります。

成果2）合金クラスターの精密合成

2つ目の成果は合金クラスターの精密合成です。これは、金のみで研究されていた分野に新たに導入したもので、高機能化へのひとつの手段として研究を始めました。

初期の研究当時は、金クラスターでさえ精密にできていない時代でしたので、やみくもに他の元素を混ぜても難しいと考え、比較的安定してつくることができる金クラスターの一部を他の金属の原子に置き換えるという方法を取りました。

例えば、金25原子のクラスターの一部をパラジウムの原子に置き換えることで、新たな合金クラスターを得ることに成功しました［図5］。こうして得られた合金クラスターがどのような物性を持つかということを研究することで、新しい機能材料をつくり出すことにつながります。

このような方法で新しい機能を得ることは、今では当たり前の方法となっていますが、この研究によって、世界のこの分野の研究者たちに「新たな機能化手段のひとつ」として認識されたのです。

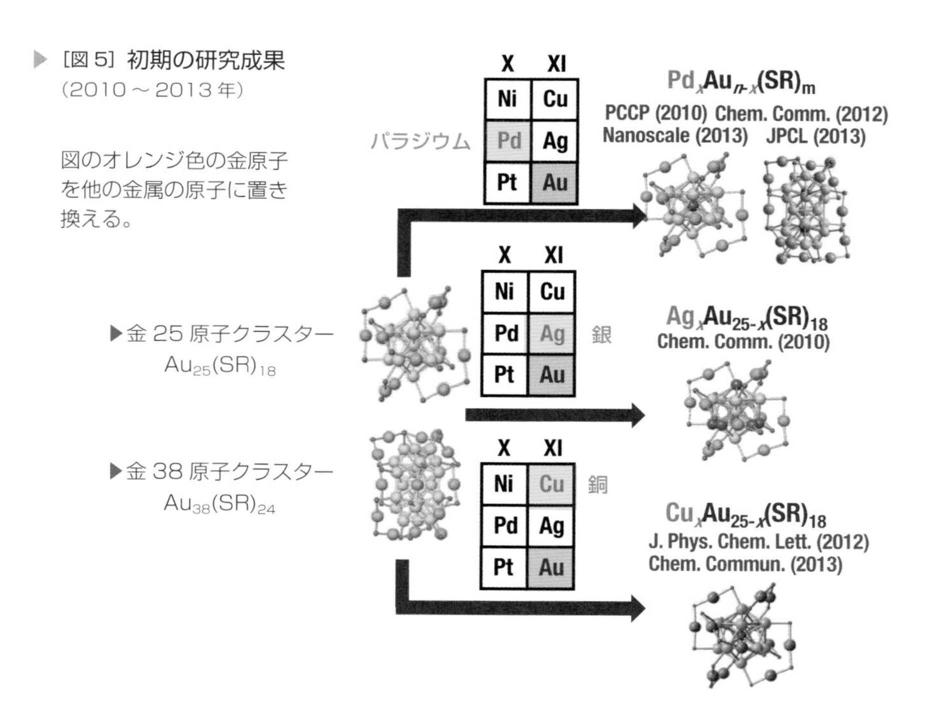

▶［図5］初期の研究成果
（2010～2013年）

図のオレンジ色の金原子を他の金属の原子に置き換える。

金属クラスター合成のその後の展開

金属クラスターの精密合成の研究は、その後さらに研究が進んでいます。

そのひとつは、金銀合成クラスターの精密合成です。現在では、金原子と銀原子の組み合わせを自在にできるようになっています［図6］。

また、金と銀といった2元素だけでなく、3元素や4元素を組み合わせることで、異なる機能を重ね合わせることにも成功しています［図7］。

さらには、異元素の組み合わせの際に、原子の置換位置を固定して制御することで、クラスターの持つ機能を変化させることも可能となっています［図8］。

▶［図6］
金銀合成クラスターの原子精度での分離

分離種の化学組成

イオン強度

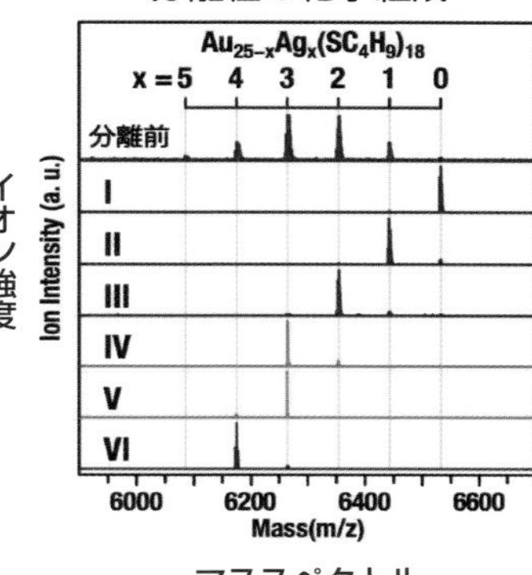

マススペクトル

UV-Vis吸収スペクトル

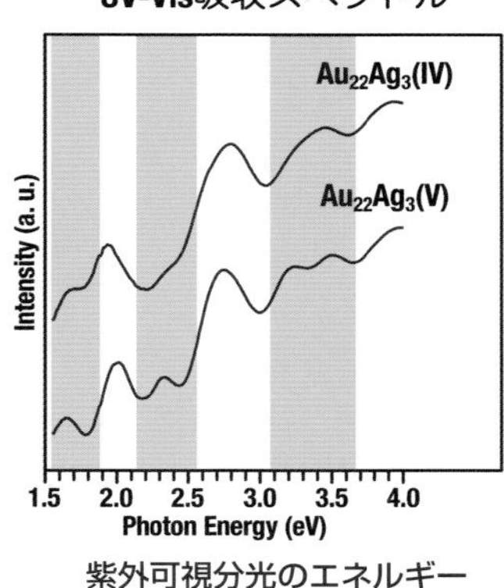

紫外可視分光のエネルギー

▶［図7］多元素置換による機能の重ね合わせ

3金属元素クラスター
：$Au_{24-x}Cu_xPd(SR)_{18}$

Nanoscale 2015

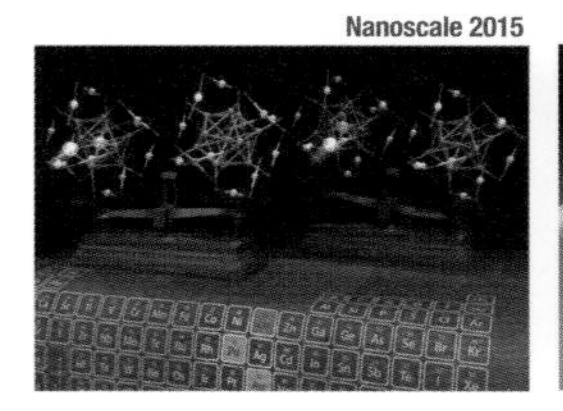

4金属元素クラスター
：$Au_{24-x-y}Ag_xCu_yPd(SR)_{18}$

Dalton Trans. 2016

▶［図8］異元素のドープ位置の制御

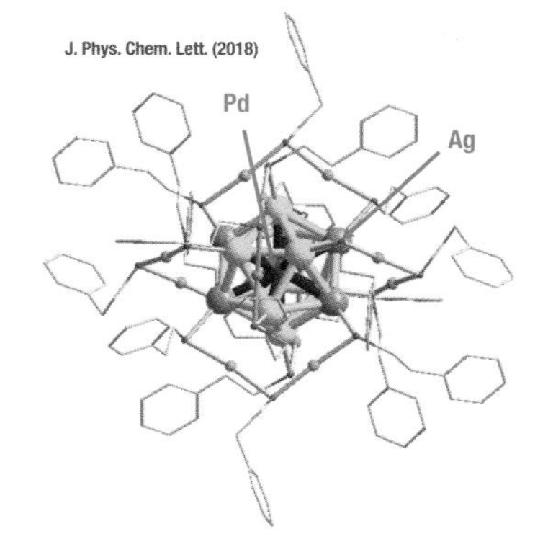

成果3）他元素クラスターの精密合成

３つ目の成果は金以外の金属クラスターの精密合成です。

金以外で最初に取り組んだのは銀です。研究を始めた2008年には、世界的にもほとんど例のない取り組みでした。

現在では、下の［図9］のように、物質をある条件下でただ混ぜるだけで、ある特定のサイズの金属クラスターだけを簡便につくることができる、選択的合成技術を確立しています。

成果4）金属クラスターの連結構造体の創成

４つ目の成果は金属クラスターからより大きな金属クラスターを次々と創成していく技術です。

例えば、右ページの［図10］ですと、金属クラスターを２つ連結することで、違った形の金属クラスターを創成しています。また、［図11］のようにいくつもの金属クラスターを一次元的に連結していくことも可能です。こうすることで、新たな物性の可能性が広がります。

▶［図9］銀および白金クラスターの選択的合成

銀クラスター

：$Ag_{\sim 280}(SBB)_{\sim 120}$

Chem. Comm. 2011

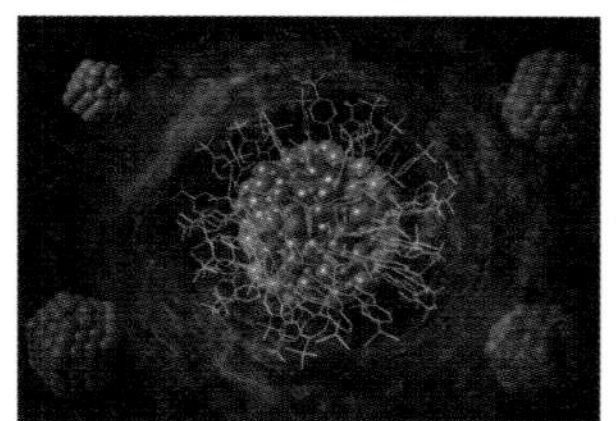

白金クラスター

：$[Pt_{17}(CO)_{12}(PPh_3)_8]^+$

J. Phys. Chem. C 2017

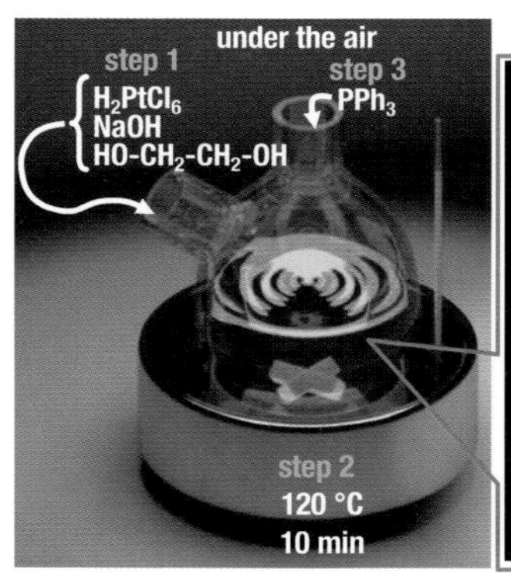

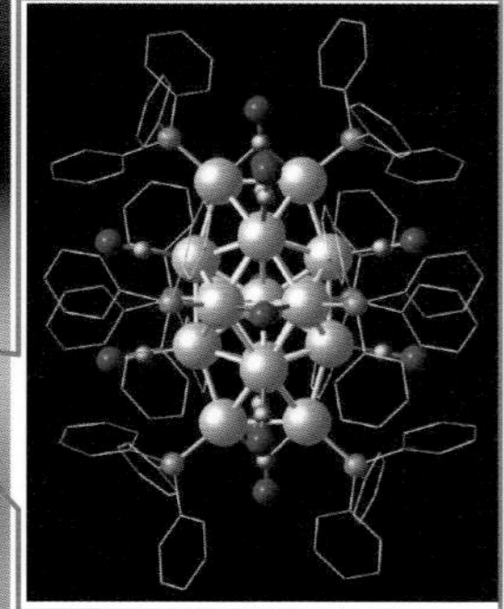

▶ [図10]
ヘテロな金属コアの連結

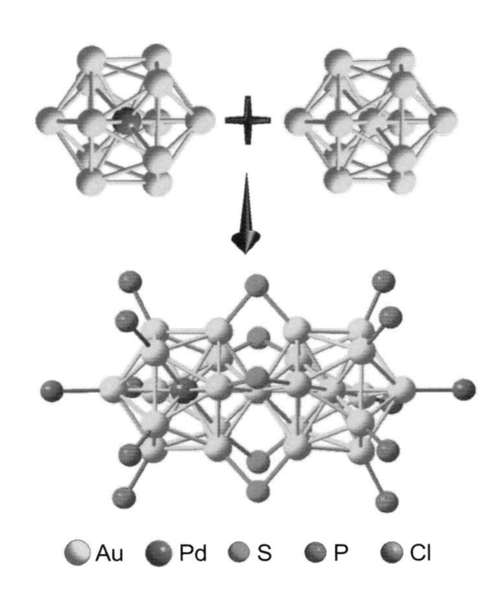

▶ [図11] 合金クラスターの一次元連結

配位子構造

単結晶写真

単結晶写真

単結晶写真

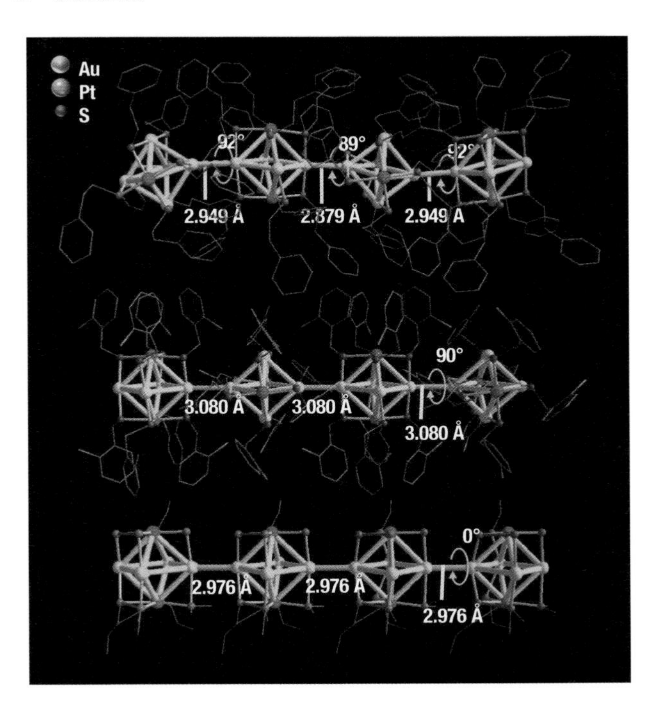

成果5）高分解能分離法の確立

ここまで紹介したものの多くについては、選択的な合成が可能な金属クラスターについての研究でしたが、金属クラスターの中には、同じ溶質から選択的合成ができないものもありました。

そこで、そうした金属クラスターについても選択的合成が可能になる研究を行ってきました。

具体的には溶液から溶質を分離する装置である「逆相高速液体クロマトグラフィー」を利用した高分解能分離法の確立です。

さまざまな金属クラスターの溶質を、カラムや溶媒などの条件を変えて分離することで、目的の金属クラスターを得ることができます。現在では、自在にとまでは言い切れませんが、欲しいサイズ・組み合わせの金属クラスターを容易に手に入れられるまでになりました。

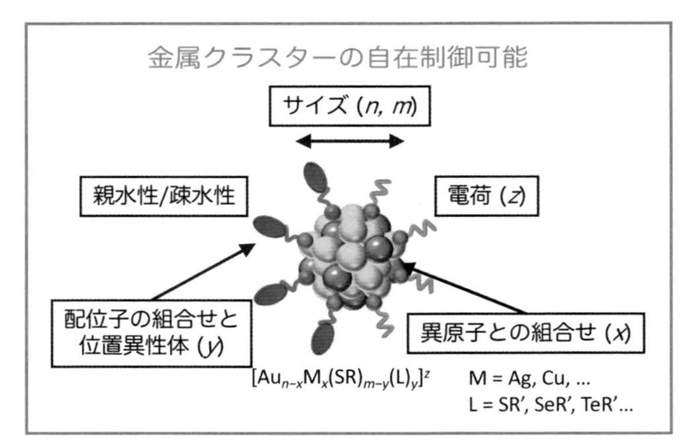

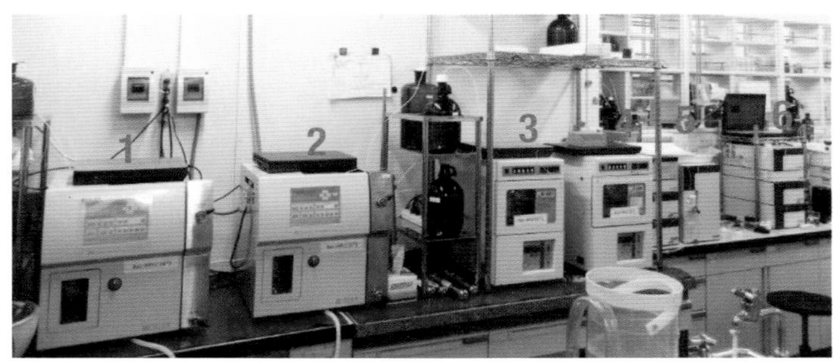

逆相高速液体クロマトグラフィー

成果6）水分解光触媒の高機能化

つぎは、金属クラスター材料を使った応用分野の研究成果です。

ひとつ目は水分解光触媒の高機能化です。水分解光触媒は、太陽光エネルギーを使って水を分解して、水素と酸素を発生させるもので、すでに研究が進んでいるものです。

根岸先生の研究では、光触媒と金クラスターの助触媒を組み合わせることで、水分解反応を活性化させるという方法です。さまざまな合金クラスターを助触媒に使って、どれが活性化に適しているかを実験しました［図12］。

そして、助触媒のサイズを微細化すると、より高い活性が得られることがわかりました。

［図12］水分解光触媒の助触媒に用いる金クラスター材料

助触媒に用いた金クラスター
（一部の原子を他の金属に置き換えて実験）

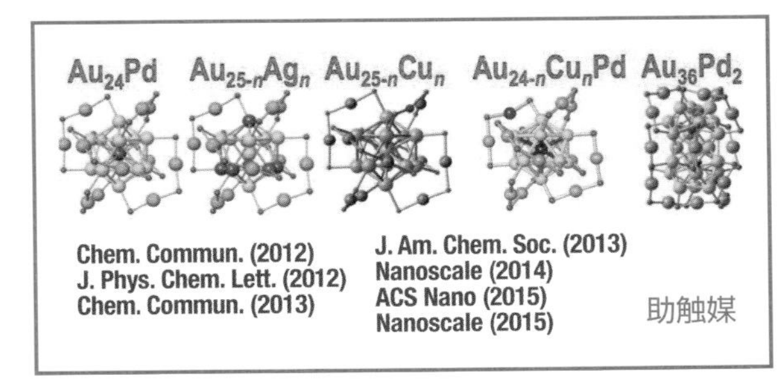

水分解光触媒

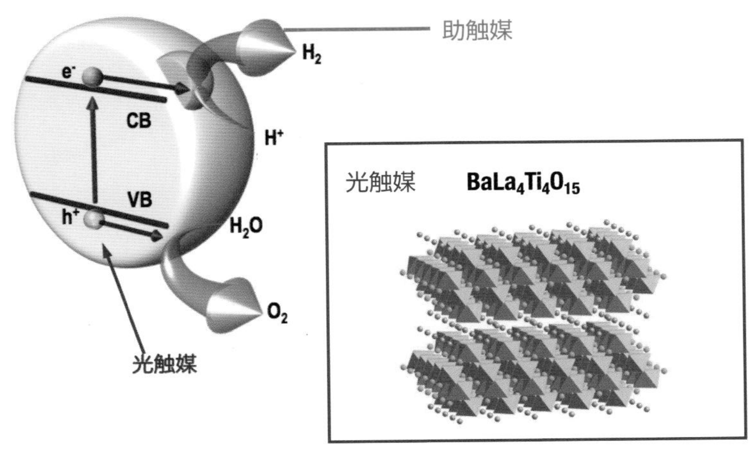

助触媒の微細化と逆反応阻止膜の組み合わせ

助触媒となる金クラスターを微細化することで水分解の活性が促進されますが、同時に逆反応（水素と酸素が反応して水になる）も促進されます［図13］。そこで、逆反応を阻止する膜を形成する方法を確立しました［図14］。

こうして、助触媒の微細化と逆反応阻止膜の組み合わせにより、自分の研究結果では約19倍の高活性水分解光触媒を創成することに成功しました。

このほか、助触媒に合金クラスターを用いた研究や金以外の金属を用いた研究も行っており、さまざまな成果が得られました。例えば、ある光触媒にロジウムクロムオキサイド［$(RhCr)_2O_3$］を助触媒とした場合に、その光触媒について過去最大の水分解活性が得られることなども確認することができました。

その後の研究では、最先端材料の高活性化と適切クラスターの助触媒利用によって、可視光に応答する光触媒の研究が進んでいます。

▶［図13］
助触媒微細化効果

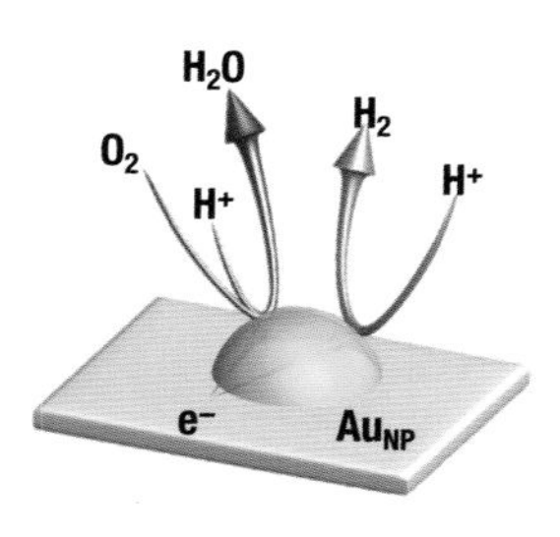

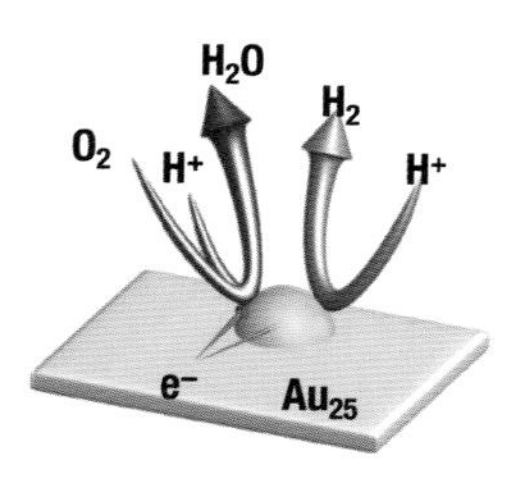

助触媒を微細化すると逆反応まで促進されてしまう。

▶［図14］
微細化と逆反応阻止膜による高水分解光触媒の創成

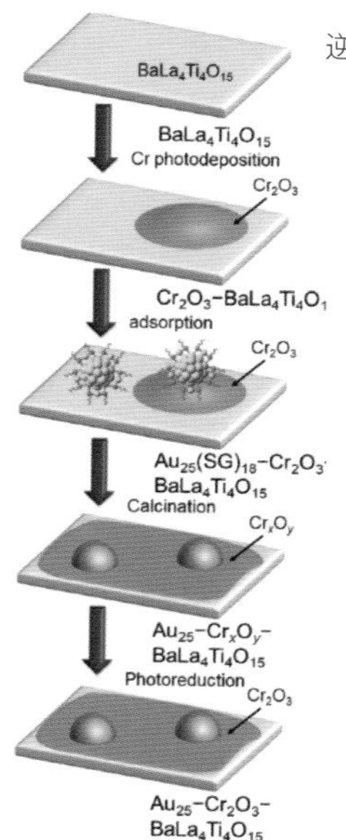

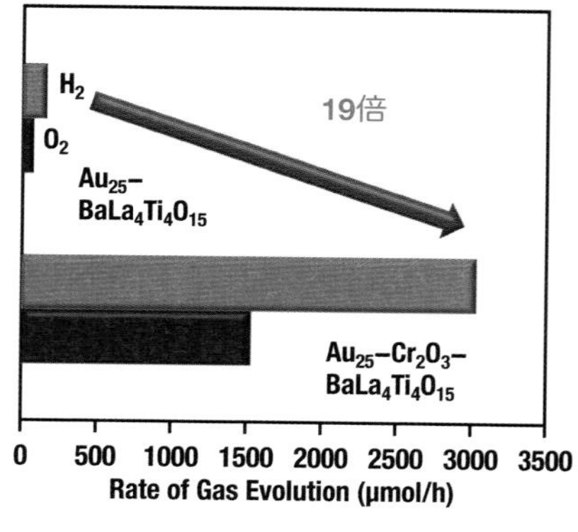

逆反応阻止膜のない光触媒に比べて約19倍の高い活性を実現。

成果7）燃料電池触媒の高機能化

つぎに、金属クラスター材料の燃料電池への応用です。

燃料電池の高機能化の研究では、白金クラスターを用いるのがよいことがわかっています。この研究では、合成する時の溶媒であるエチレングリコールの還元時間を変えることで、容易に微細な白金クラスターの粒径を制御することに成功しています。そして、この微細白金クラスターをどのサイズにすると、最もORR（酸素還元反応）活性が大きくなるかについてや、そのメカニズムに関しても解明できています［図15］。

この研究成果により、燃料電池の実用条件において、市販の白金触媒と比べて、1/10の白金使用量でそれらと同等の白金カソード触媒をつくることが可能となります。

光触媒の高機能化と燃料電池の高機能化は、持続可能な水素エネルギー社会の実現に必要なシステムの一部として役立つことでしょう。

［図15］
微細白金クラスターのサイズとORR（酸素還元反応）活性

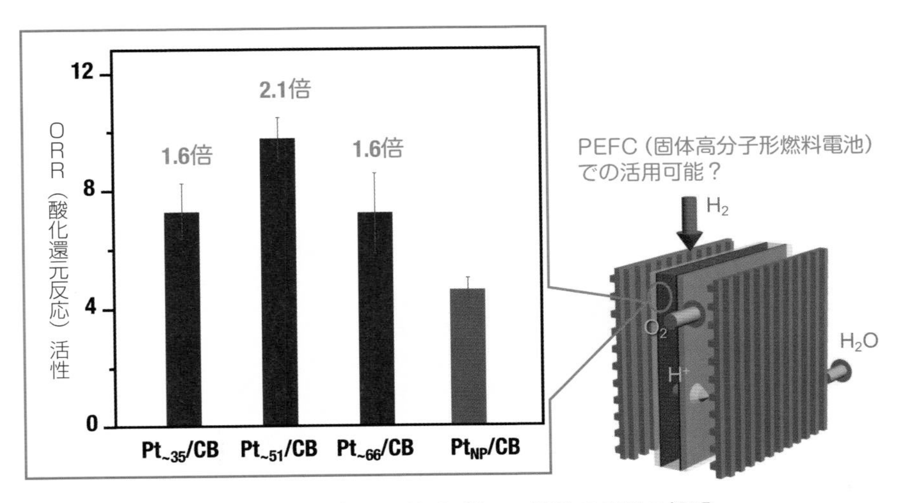

白金クラスターのサイズとORR活性の相関の解明

4. 研究室訪問

根岸先生の研究室は、東京理科大学神楽坂キャンパスにあります。理学部第一部応用化学科の根岸研究室を訪ねました。

東京理科大学 理学部
第一部応用化学科 根岸研究室

根岸研究室には、30名以上の学生が在籍しています。「自由な発想で、活発な意見交換、発表などが行えるよう、明るく楽しい雰囲気で研究をしよう」という根岸先生のもと、学生が生き生きと実験、研究を行っています。

根岸先生の研究仲間がいる海外の大学に、数か月間、研究留学をしている学生も多くいます。根岸先生は、学生に世界で活躍する研究者になってほしいと考えています。

東京理科大学神楽坂キャンパス

根岸雄一先生は、2024年5月より、東北大学多元物質科学研究所に所属されています。

学会や、学術雑誌、東京理科大学などからの、研究に対する表彰状が並んでいます。根岸研究室は、世界的にも最先端の研究施設のひとつです。

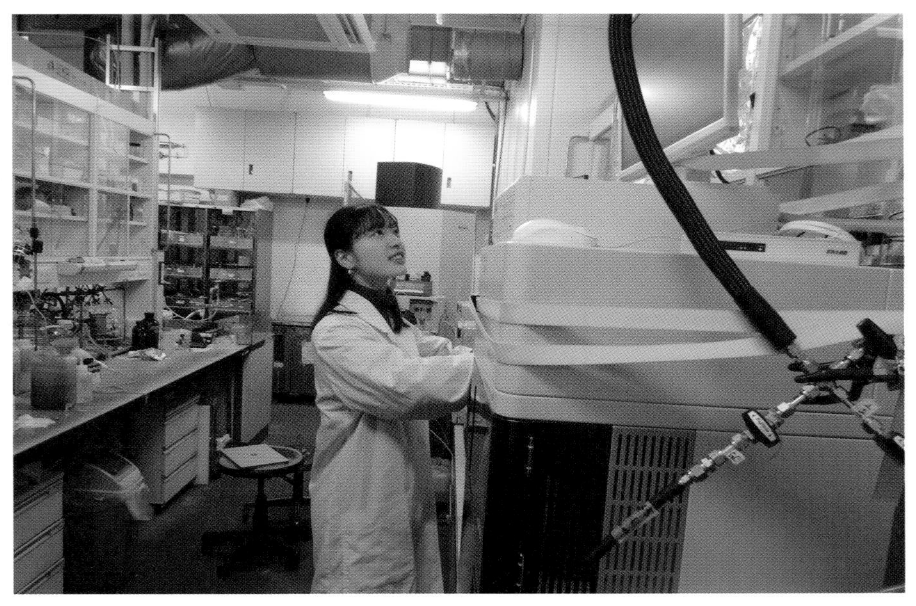

研究室の中には薬品や、質量分析装置、エバポレーター（減圧することによって液体を積極的に蒸発させる機能をもつ装置）などの特別な装置が並びます。（写真は研究室の瀬良美佑さん）

学生インタビュー

研究が大好きです

修士２年　瀬良美佑さん

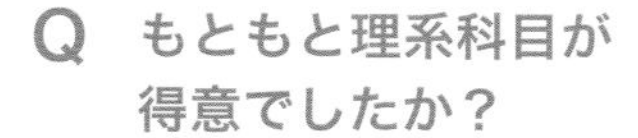

Q　もともと理系科目が得意でしたか？

A　数学や物理などの理系の勉強が特に得意だったわけではありません。英語や国語なども好きでした。ただ、私は身の回りのいろいろなものに興味があり、これは何でできているのだろうなどと考えることがよくありました。そんな思いから、研究に魅力を感じ、東京理科大学に進学しました。

Q　研究室での生活はどうですか？

A　大学では、１～２年は基本的な実験をすることでインプットの時間を過ごしました。アルバイトもして、忙しくても楽しく過ごしました。根岸先生の研究室に入ってからは、今までの経験をもとに、実際に自分で研究を始めています。ウィーン工科大学に留学させていただき、外国の研究者とも研究ができてとても刺激になりました。金属クラスターの研究は、新しい化学材料をつくる可能性がある研究です。これからも研究を続け、研究者の道に進みたいと思っています。

Q　中学生、高校生に伝えたいことは？

A　私は、研究をしているときがとても楽しく、やりがいがあります。高校生の皆さんも、バランスよく勉強を頑張って、ぜひ自分のやりたいことや、目標を見つけてほしいです。一緒に研究ができたらと思います。

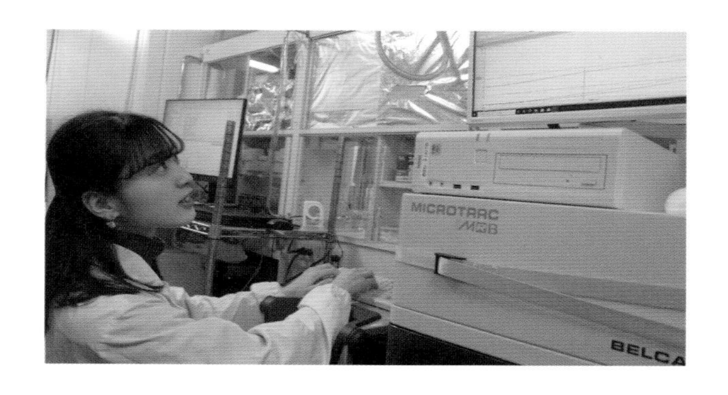

「新しいもの」をつくりたい

修士2年　入江 司さん

Q 理系に進んだきっかけは？

A 特に具体的にこの分野をと決まっていたわけではありませんが、漠然と何か新しいものをつくりたいという思いがありました。高校時代は数学や物理などの、理系科目は得意でした。小さい頃は、博物館などに連れて行ってもらった思い出がありますが、そんなことも理系に進むきっかけになったかもしれません。

Q 研究室での生活はどうですか？

A 実験を頑張っています。COF（共有結合性有機構造体）の研究は、今までにない素材をつくる研究なので、これまでの思いが実現していると言っていいと思います。大学生活はとても充実しています。

Q 高校生に伝えたいことは？

A 高校生の勉強は、将来何の役に立つのかはイメージしにくいと思います。しかし、今、いろいろな実験をしている中で、無駄になる勉強はなかったと実感しています。英語もとても大切です。インド科学教育大学に3か月研究留学をして、世界の研究者とも触れ合うことができました。高校生の皆さんは、どんな道に進むとしても勉強は決して無駄にはならないので頑張ってほしいです。私はCOFの研究をこれからも続け、研究者の道に進みたいと考えています。

誰もが見ていながら、
誰も気づかなかったことに気づく。
研究とはそういうものだ。

コンラート・ローレンツ

1903～1989年・オーストリア

1973年、ノーベル生理学・医学賞を受賞しました。動物の行動を研究し、「刷り込み」現象を発見しました。

公益財団法人東京応化科学技術振興財団の活動

科学技術の振興と発展に貢献

第１回「科学教育の普及・啓発助成団体表彰」（活動奨励賞）受賞の様子
「特定非営利活動法人かながわ子ども教室」

第１回「科学教育の普及・啓発助成団体表彰」（活動奨励賞）受賞の様子
「一般社団法人ディレクトフォース
理科実験グループ」

公益財団法人東京応化科学技術振興財団は、「研究費の助成事業」、「国際交流助成事業」、「研究交流促進助成事業」、「科学教育の普及・啓発助成事業」の４つの助成事業と、「向井賞」の表彰事業を通して、科学技術の振興と発展に貢献しています。

「科学教育の普及・啓発助成事業」に関して、従来の助成に加えて、2023年より特に優れた活動を継続して行われている団体を表彰する『科学教育の普及・啓発助成団体表彰』を新たに設けました。

ここでは第１回活動奨励賞の『特定非営利活動法人かながわ子ども教室』と『一般社団法人ディレクトフォース理科実験グループ』の活動を紹介します。

第１回「科学教育の普及・啓発助成団体表彰」

活動奨励賞受賞

特定非営利活動法人かながわ子ども教室

理科好きの子どもを一人でも多く

特定非営利活動法人かながわ子ども教室
理事長

小島啓三郎

このたび、東京応化科学技術振興財団より、第1回科学教育の普及・啓発助成部門の「活動奨励賞」を受け、会員一同感謝申し上げます。

かながわ子ども教室は2004年8月に発足以来、20年になります。神奈川県在住の三菱系の企業のOB、OGの親睦団体である「ダイヤかながわ交流会」のメンバーから「親睦だけでなく、我々シニア世代の経験と知識を生かし社会貢献につながることをやろう」と声が上がり、「理科好きの子どもを育てる」「子どもの健全な人格形成に寄与する」ことを目的に発足しました。

当初は、海洋、環境、電気、宇宙、光学の５教科でしたが、今では、たのしい科学教室が21教科、たのしい暮らしの教室が4教科と合計25教科を開催できるようになり、会員数も20名から36名になりました。三菱系でない会社の出身者や大学の教授、高等学校の教諭をつとめられた方も6名おられます。仲間の輪が広がった成果と言えるでしょう。

子どもたちのために出かけることは、講師、サポータとして参加するメンバーの脳の活性化とともにすばらしい「キョウイク」（今日行く場所）と「キョウヨウ」（今日の用事）を提供してくれています。

企業の雇用延長に伴い、70歳以下の加入が減り、活力維持のために若手（？）高齢者の新規加入を望んでおります。

かながわ子ども教室とは

「かながわ子ども教室」は基本的に「出前授業」です。小学校、コミュニティハウス、放課後子供教室、学童保育、児童相談所などに伺い、わかりやすく楽しい実験・工作などを入れた授業を行います。講師だけでなく、子ども４～６人に１人のサポータを派遣し、子どもの疑問に答え、落ちこぼれのないよう工夫しています。

「たのしい科学教室」は、世の中に存在するいろいろな現象や自然の働きなどを子どもに実験して見せ「なぜ？どうしてこうなるの？」という疑問を起こさせます。「なぜこうなるの？」といった疑問に対してわかりやすく解説して理解させ、科学に対する興味の芽を育みます。実験をしながら、理解を深める写真や図をふんだんに用いて、わかりやすく教えます。

「プログラミング」（80ページ）の様子。

▶特定非営利活動法人かながわ子ども教室

2004年活動開始　メンバー36名　活動地域：横浜市、川崎市、鎌倉市、藤沢市、茅ヶ崎市などの小学校、コミュニティハウス、放課後子供教室、学童保育、児童相談所など

●ホームページ　http://kanagawakodomo.com/

 かながわ子ども教室のあゆみと活動

かながわ子ども教室の前身は、神奈川県在住の企業退職者の集まりである「ダイヤかながわ交流会」の分科会として2004年に活動を始めた「こどもの科学・社会教室」です。活動を開始すると教室開催の要望が多く、開催場所は最初の小学校、コミュニティハウス、放課後子供教室、学童保育へと広がり、教室開催回数も年々増えてきました。

これらに対応すると共に教室の一層の充実を図るために、2009年4月からは「特定非営利活動法人かながわ子ども教室」として「ダイヤかながわ交流会」から独立しました。

実績まとめ

◎年度別教室開催数の推移

	2004	2005	2006	2007	2008	2009	2010	2011	2012	2013
教室	7	23	75	84	112	132	142	128	130	122
イベント	0	6	3	6	22	11	7	16	8	5
合計	7	29	78	90	134	143	149	144	138	127
	2014	2015	2016	2017	2018	2019	2020	2021	2022	2023
教室	143	132	139	149	145	127	22	62	116	113
イベント	7	7	6	7	5	4	0	1	2	1
合計	150	139	145	156	150	131	22	63	118	114

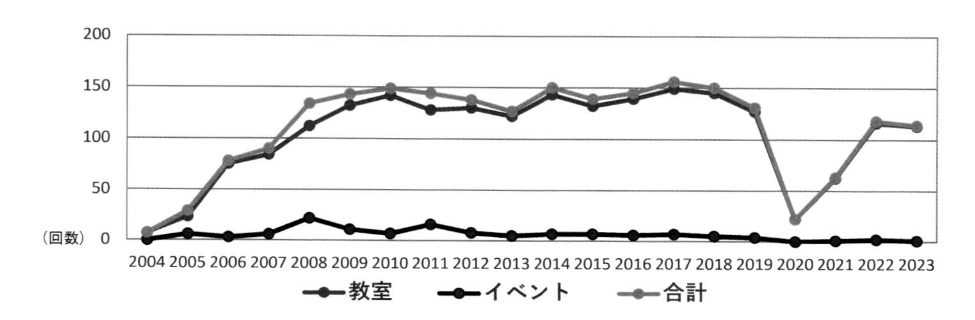

◎2023年度 教室参加数（小・中・高校、イベント除く）

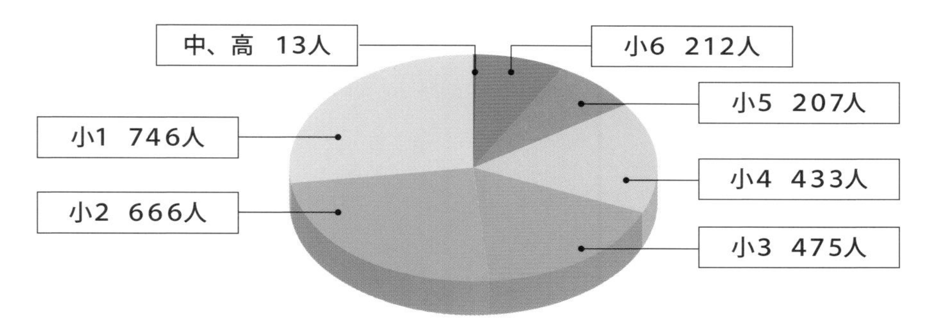

◎2023年度 場所別教室開催数（114回）

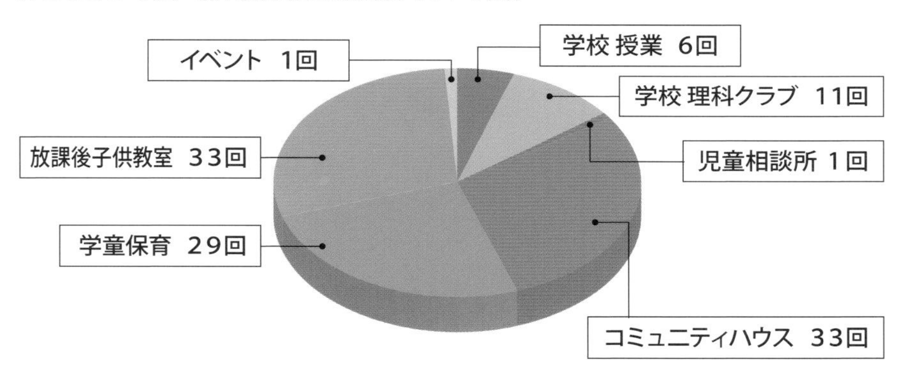

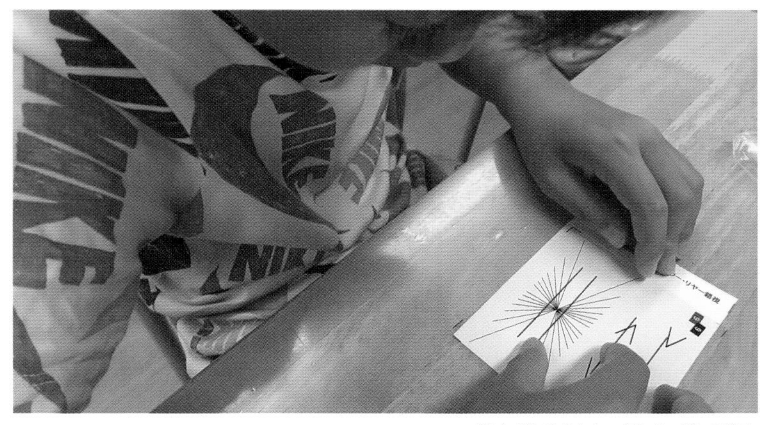

「ふしぎな見えかた」（79ページ）の様子。

「たのしい科学教室」のくふう

「たのしい科学教室」は、「どうしてだろう？」といった疑問を持たせて、解決に導くためのくふうをしています。「私たちのからだ（心臓）」（81ページ）の資料で紹介します。

★オリジナル実験★

聴診器で自分の心臓の音を聞きます。医師の講師が指導します。

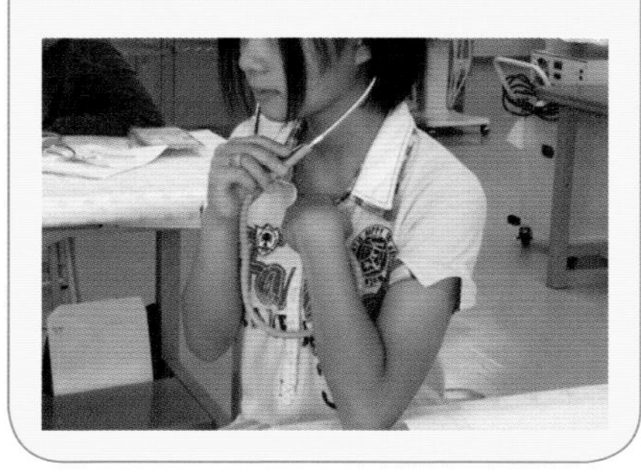

★多数の図や写真★

講師がわかりやすい図や写真を用意して投影します。

赤血球の役目

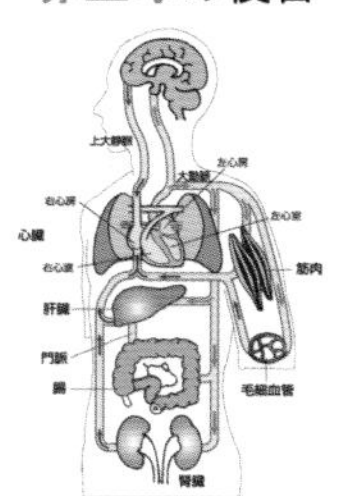

赤血球は酸素を体中に届ける役目

赤血球を含む血液を体中に届けるポンプの役目をしているのが心臓

血液の中には赤血球という目には見えないくらい小さなつぶつぶ（細胞）が数多く含まれています

赤血球は直径0.008mm位の円盤状

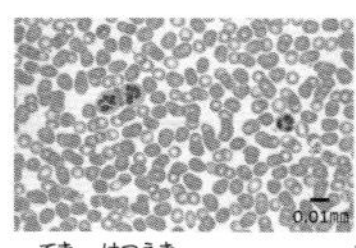

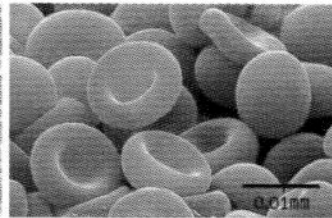

1滴の血液（0.05mℓ）の中に2億5000万個

★楽しめる作業★

作業したり、クイズを出したりして楽しさを演出します。

脈拍

- 心臓は1分間に何回動くかな？心音を聞いて脈を数えて見ましょう
- 私の合図に従って数えてください

クイズ6
身体の中に血液はどのくらいある？
（わたしのようなおとなのばあい）

①
1こ

②
2こ

③
5こ

『たのしい科学教室』の全教科

76ページから、最近開講した6つのテーマをくわしく紹介しています。

「宇宙」テーマ 宇宙を探検しよう
夜空を見上げると遠くの星が目に入ってきます。宇宙ってどんなところ？　宇宙はなにからできているの？　宇宙の始まりは？　そんなみんなの「？」をお話します。

「液晶」テーマ 液晶ってなんだ？
液晶ってどんなもの？　どうすれば画面がうごくの？

「エネルギー」テーマ 身近にあるエネルギー
みんなの暮らしに役立っている色々なエネルギーをさがそう！

「海洋」テーマ 海洋と深海探査
海洋についてもっと知ろう！　深い海の底を探検しよう！

「気象」テーマ 天気のしくみ
雲はどうしてできるの？　雨はどうして降るの？

「空気」テーマ 私たちを取り巻く空気の話
風船を使って空気と遊ぼう！

「子どもの化学」テーマ 化学ってなんだ？
身の回りにある「もの」から「化学」を学び実験を楽しもう！

「真空」テーマ 真空って何だろう？
真空状態ではどのようなことが起きるだろう？
真空はどうすれば作れるだろう？

「たのしい実験室」テーマ たのしい実験とその原理、応用の理解
実験を通して、「なぜ」？を考え、私たちの生活にどの様に役立っているかを解説。

「地球」テーマ 地球のことを知ろう
地球の中や表面で何が起こっているのかな？

「電気」テーマ 発電機とモーター、同じものだって！
発電機２台をつないで一方を回すと何が起こる？　自分の力で発電し、省エネを実感しよう。

「天体観測」テーマ 月や星を見る
天体望遠鏡で月や星を実際に見てみよう！

「電池をつくろう」テーマ 電池はどうして電気を流せるのか？
電池をつくって電池のしくみを知ろう！　電池の実験を楽しもう！

「動画」テーマ 動画のふしぎを試そう！
動画は連続写真を撮って、順に見せている。

「ひかりと色」テーマ 太陽の光はどんな色でできている？
光の基本的性質を学ぼう！　光を分けると…？
光をまぜると…？

「ふしぎな見えかた」テーマ ヒトの目はだまされやすい
脳で判断しているのでだまされる。だまされる図形のいろいろ。だまされる立体の工作。

「プラスチック」テーマ プラスチックを知ろう
あれもプラスチック、これもプラスチック。

「プログラミング」テーマ プログラミングの面白さを実感しよう！
コンピュータを動かすにはプログラムが必要です。子ども用プログラム言語を使い、コンピュータ画面上のキャラクターと遊んでみよう！　実際にロボットを動かしてみよう！　そして、コンピュータを身近に感じてみよう！

「まわれ！浮沈子」テーマ なぜ、回りながら浮いたり沈んだりするの
ボトルを押したりゆるめたりしたら、中の浮沈子はどうなる？

「ロボット」テーマ プログラミング的思考力を身につける
プログラミング的思考力とは？「筋道を立てて論理的にものごとを考える力」

「私たちのからだ（心臓）」テーマ 心臓や血液などからだの仕組みを理解する
血液を体の隅々まで届けるポンプが心臓。運動をすると脈拍が増加し、呼吸数が増加する理由を知る。

たのしい科学教室

「真空」

テーマ 真空って何だろう？

真空状態ではどのようなことが起きるだろう？　真空はどうすればつくれるだろう？

教室概要

1．**真空についてのおはなし**
宇宙は真空状態です。その真空とはどのようなことかを説明し、真空状態は地上でもつくれることを証明します。

2．**工作**
注射器を使って手動式真空ポンプをつくります。

3．**実験と観察**
電動式真空ポンプや、手動式真空ポンプを使って真空状態をつくり、様々な実験を行います。例えば、物の落下、水や風、あるいは物が真空中でどのようになるかなどの実験を行い、いつも経験していることとは異なる現象が起きることを観察します。

4．**真空の利用についてのおはなし**
真空はいろいろなところで利用されていることを説明します。

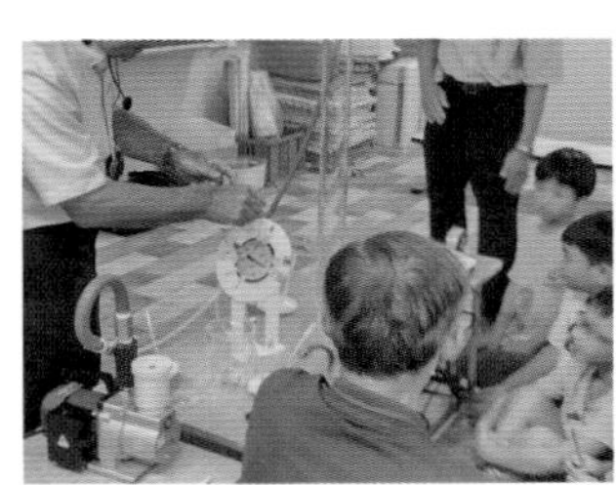
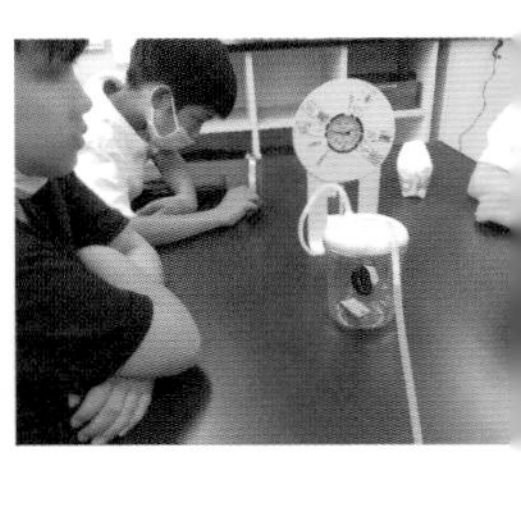

真空技術について専門用語は一切使わず小学生でも理解できる平易な言葉、表現と簡便な実験を通じ子どもに正しく理解させることを目的としているが、それが非常に難しく、それゆえにやりがいを感じている。

たのしい科学教室

「たのしい実験室」

テーマ たのしい実験とその原理、応用の理解

実験を通して、「なぜ」？を考え、私たちの生活にどの様に役立っているかを解説。

教室概要

1．水蒸気の力
- ・たまごスッポン実験
- ・あきかんクルクル実験

2．水となかよし
- ・水と油はなかよし実験
- ・水で満腹実験

3．手づくりモーター実験

4．野菜プカプカ実験

＊この中のどれを実験したいかというご希望を伺い時間の範囲内で１教室を組み立てます。

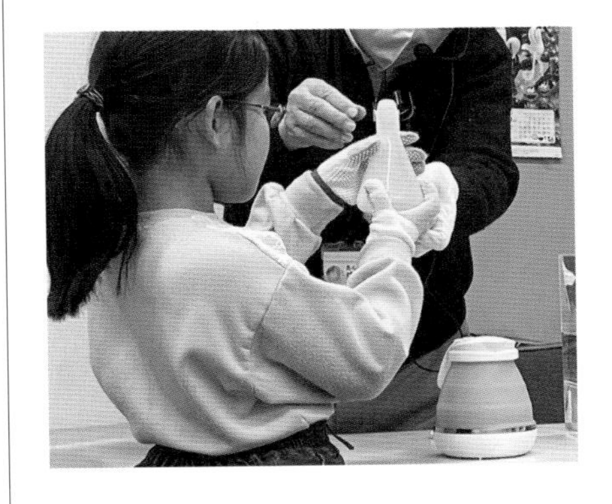

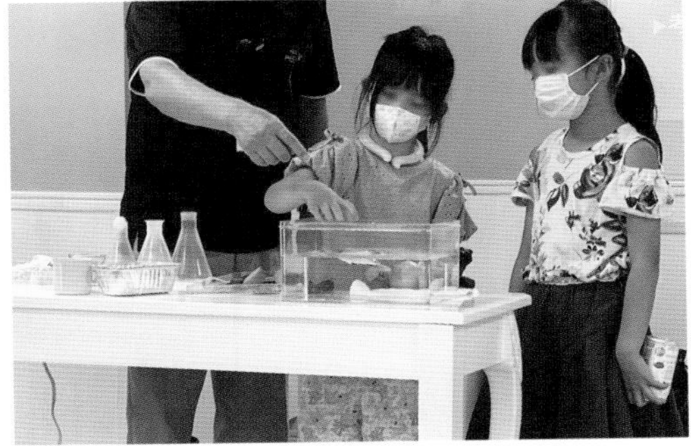

小学生にとって「実験」という言葉は特に低学年ではなじみが薄いことから、楽しい実験を通して、何か不思議なことが起こることを体験する。「なぜこんなことが起こるのだろう」と疑問を持ち、考える機会を得られればそれで成功と思われる。

たのしい科学教室

「電池をつくろう」

テーマ 電池はどうして電気を流せるのか？

電池をつくって電池のしくみを知ろう！　電池の実験を楽しもう！

教室概要

はじめに

「電気って何？」から始まって、「電気をつくるには？」「電気はどうして流れるの？」などをわかりやすく説明します。

「1」ボルタ電池の作製

最も古い電池であるボルタ電池を各人でつくって電子オルゴールを鳴らしたり、発光ダイオードを光らせたりします。

「2」燃料電池の作製

最近注目されている燃料電池を各人でつくって実験を楽しみます。

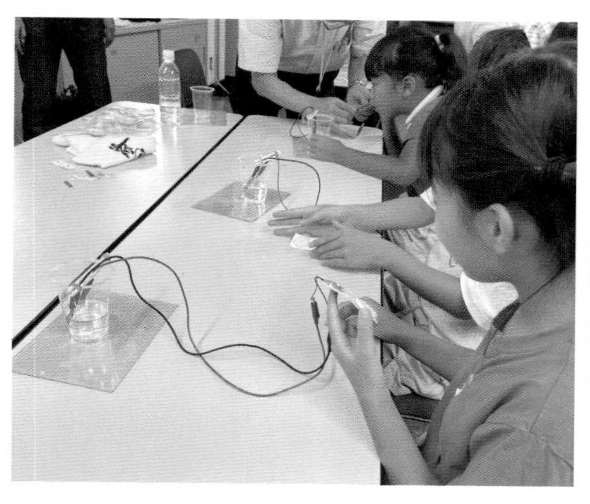

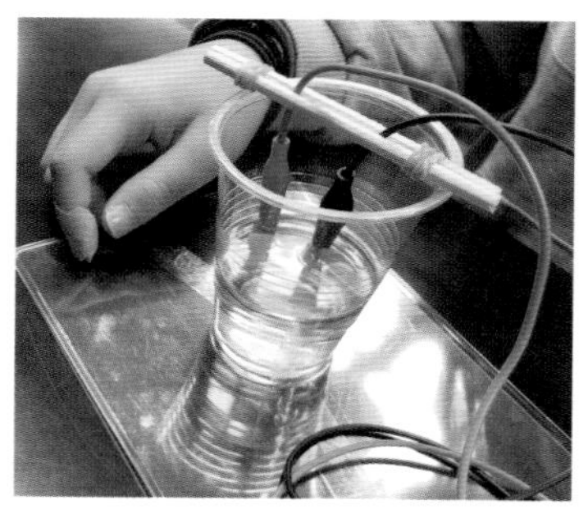

ここをくふう

まず、電池をつくることを全員に体験して欲しいので、全員に一人一個の実験道具を準備している。次に、どうして電気が流れるかを小学生にでも理解できるように、アニメーションを用いてやさしく説明している。

たのしい科学教室

「ふしぎな見えかた」

テーマ ヒトの目はだまされやすい

脳で判断しているのでだまされる。だまされる図形のいろいろ。だまされる立体の工作。

教室概要

「盲点と脳によるおぎない」

右目で＋を見ながら目を離していくと棒がつながって見える。なぜかな？

「図形のうそに気づかない」

階段をたどると、いつまでも登って行ける。この絵のうそがわかるかな？

「脳がだまされる」

画像を脳で考えてみているので…

オレンジ色の円はどちらも同じ大きさ

立体を鏡にうつすと…

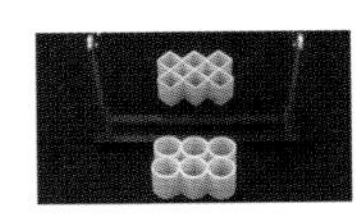

「だまし立体工作」

凸凹が逆に見えたり、見る方向によって形が変わったりするペーパークラフトをつくる。

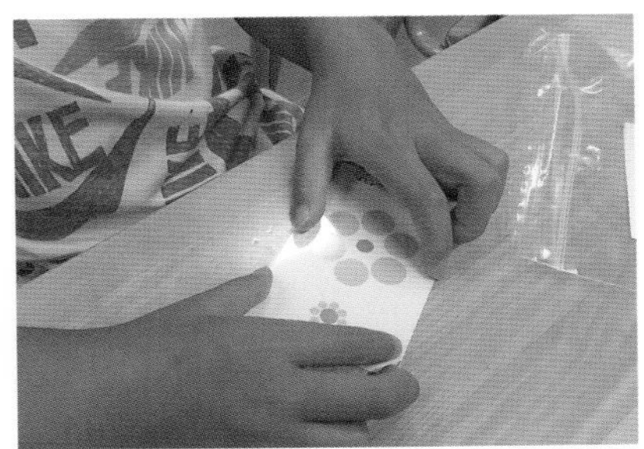

低学年の子どもにも飽きさせず、楽しんでもらうために、原理説明は簡単にし、錯視実験の数を多くしている。

たのしい科学教室

「プログラミング」

テーマ　プログラミングの面白さを実感しよう！

コンピュータを動かすにはプログラムが必要です。
子ども用プログラム言語を使い、コンピュータ画面上のキャラクターと遊んでみよう！
ロボットを動かしてみよう！
そして、コンピュータを身近に感じてみよう！

教室概要

プログラミングⅠでは子ども用のビジュアルなプログラミング言語：'プロゼミ'を使います。命令のブロックを組み合わせてプログラムをつくり、コンピュータ（タブレットやパソコン）の画面上のキャラクターを思い通りに動かしてみよう。また、プログラミングⅡではEdblocksを使い、ロボットを動かしましょう。失敗を恐れずにチャレンジしよう！

＊プログラミングとは：プログラム（コンピュータに対する命令を組み立て、記述したもの）をつくること。

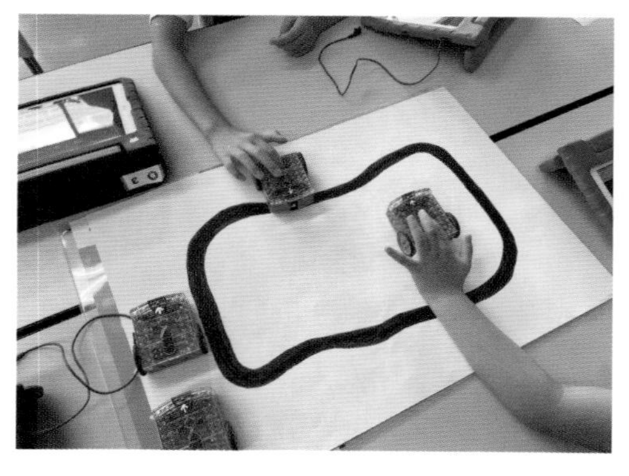

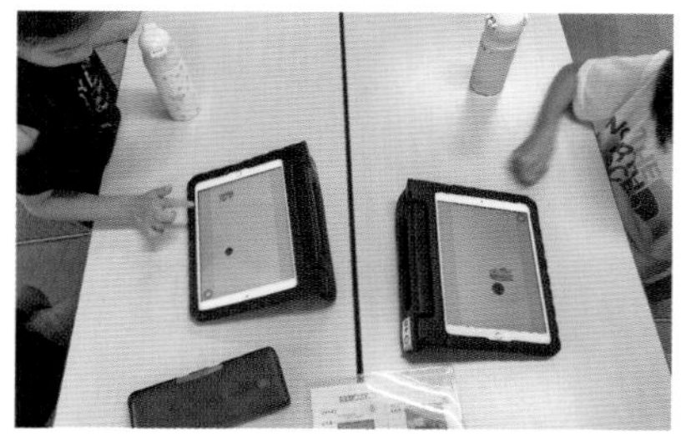

タブレット画面上で「プログラミングゼミ」ソフトで命令通りにキャラを動かす楽しさを味わってもらう講座からスタートし、ついで、ロボットを実際に動かす講座も開設した。ともに間違いを恐れず、やってみて楽しんでもらっている。児童間での進度のバラツキはどうしても出てしまうので、班の構成をくふうしている。

たのしい科学教室

「私たちのからだ（心臓）」

テーマ 心臓や血液などからだの仕組みを理解する

血液を体の隅々まで届けるポンプが心臓。運動をすると脈拍が増加し、呼吸数が増加する理由を知る。

教室概要

1．クイズ形式で心臓の役割・機能を説明する。
2．聴診器を使って自分の心臓の音を聞く。
3．脈拍数と呼吸数を数える。
4．その場で20回ジャンプする。
5．ジャンプした後の脈拍数と呼吸数を数える。
6．脈拍数と呼吸数が増えた理由を考える。

ここをくふう

他の子どもの心拍をとらせると、問題が起きる可能性があるので、自分の心拍をとるようにしている。低学年では聴診器の耳の当たりが強く痛いという子どもがいるので、当たりを柔らかくした。心拍数が数えきれない子どもはサポーターが手首にシールをつけ子どもに脈拍をとらせるようにしている。

たのしい科学教室に参加した児童の声

「真空」と「電池をつくろう」に参加した子どもの感想の一部を紹介します。

▼「真空」に参加した小学生の感想です。

今回、私は色んな事を学びました。マシュマロは真空にするとふくらんで、空気を入れると小さくなっておもしろいと思いました。もっと理科が好きになりました。本当にありがとうございました。

真空の意味は、もともと空気がゼロのじょうたいだと思っていたけれど、他の場所より空気が少ないことを学びました。アニメーションを使った説明がわかりやすかったです。

真空の定ぎが他よりも空気が少ないというのが意外だった。真空はあまり使われていないだろうと思っていたが、タブレットやテレビやゲーム機など、とても身近な物に使われていることがおどろきだった。

クイズ形式で学べて楽しかったです。マシュマロは空気がある時のほうがおいしそうでした。真空っていうのは完全に空気がない状態じゃなくても真空とよぶことを初めて知りました。

私はさいしょのマシュマロがへこむと思ったけどふくらんだのがびっくりしました。みんな予想をたててじっけんするのがとても楽しかった。

▼「電池をつくろう」に参加した小学生の感想です。

電気がそもそも何なのか、電池の原理、発電のしくみなどがわかった。自分の身近にもこのしくみが使われていることがわかったし、自分でも電池を作れたりしてとてもよい体験になった。

プラスとマイナスの重さや動きやすさのことを学んで、「へえ〜」と思ったことがいっぱいありました。「どうして」「なぜ」と思ったことを細かく教えてくれて役に立ちそうです。とても楽しかったです。

班のみんなで直列つなぎをしたのが楽しかった。

災害の時にこの電池を作る方法が使えると思った。中学にも生かせる授業をしてくれてありがとうございました。

鉛筆のしんで電気が通るとわかった。先生たちのおしえかたが優しくてすぐにわかった。クエンさんを使って電気を作って音や光を発生させたり、いろんなものをさわったり、やったりと貴重な体験をさせていただきました。本当にありがとうございます。

この前は来てくださってありがとうございました。㊉の電気は㊀の電気の2000倍の重さということを聞いてびっくりしました。いろいろ実験をして知識も増えました。電池に興味をもちました。

第１回「科学教育の普及・啓発助成団体表彰」

活動奨励賞受賞

一般社団法人ディレクトフォース理科実験グループ

科学の面白さを体験し、自然科学の道に進んでほしい

一般社団法人ディレクトフォース理科実験グループ
グループリーダー

松尾　裕

このたび、東京応化科学技術振興財団から第１回「科学教育の普及・啓発助成団体表彰」の「活動奨励賞」を頂きました。会員一同、私どものささやかな活動が評価されたものと喜び、これを励みに、これからも子どもたちに理科の面白さを伝える活動を続けていきたいと考えております。

私どもの理科実験教室は、2009年に横浜開港150年を記念して開催された「Y-150」に参加したことをきっかけに始まりました。子どもたちが科学の面白さを体験し、将来、自然科学の道に進んでくれることを願って活動しています。会員間での活発な議論を経て、これまでに26の独自のテーマを開発してきました。実験を見せるだけでなく、子ども４～５人のグループを一人の講師が担当して一緒に実験を行い、体験を通して理科の面白さを実感してもらう授業を、年間190回ほど行っています。

最近では学校での授業の他、放課後教室などからの依頼が増え、子どもたちの学年や授業時間に応じたきめ細かい対応が必要になってきました。これからも身近な「ふしぎ」を子どもたちと一緒になって観察、体験することで、理科の面白さ、楽しさを伝え、さらには子どもたちに自ら考え、探求する心を育んでもらえるよう努力していきたいと思っています。

ディレクトフォース理科実験グループとは

ディレクトフォース理科実験グループは、社会貢献の理念のもとボランタリー・ベースで出前理科実験教室を行っています。

子どもたちが安全で楽しい理科実験を体験することにより科学する心を育んでもらえるよう、企業経営の第一線で活躍してきたメンバーが全員で工夫と研鑽をかさねています。

「子ども達に理科を好きになってもらいたい」「大きくなって科学技術の分野で羽ばたいてもらいたい」を目標にメンバーの経験、知識、興味をもとに自前の実験プログラムを開発しています。

テーマ「香りの粒を作ろう」（92、93ページ）の様子。

▶一般社団法人ディレクトフォース理科実験グループ

2009年活動開始　メンバー85名　活動地域：首都圏中心に被災地や離島も訪問
〒105-0004 東京都港区新橋1丁目16番4 りそな新橋ビル7F

●ホームページ　https://www.directforce.org/index.html

 ディレクトフォース理科実験グループのあゆみと活動

ディレクトフォースは、企業の経営メンバーで活躍し卒業した人が集まり、企業で培った経験や知識を社会に役立てようと2002年に設立されました。幅広い分野での社会貢献を目指し、各種勉強会やセミナー、研究会などで環境問題や農業問題に取り組んでいます。

その中で、元技術者のメンバーが中心となり、「子どもに理科を好きになってもらいたい」「科学技術の分野で羽ばたいてもらいたい」という願いで設立されたのが理科実験グループです。2009年から社会貢献の一環として活動を開始し、年々増大する開催要求にこたえるため、2012年から「理科実験グループ」として活動しています。

現在は、首都圏の小学生だけでなく、被災地や離島の子どもたちにも、安全で楽しく、わかりやすい理科実験を提供できるよう、メンバー全員でくふうと研鑽を重ねています。

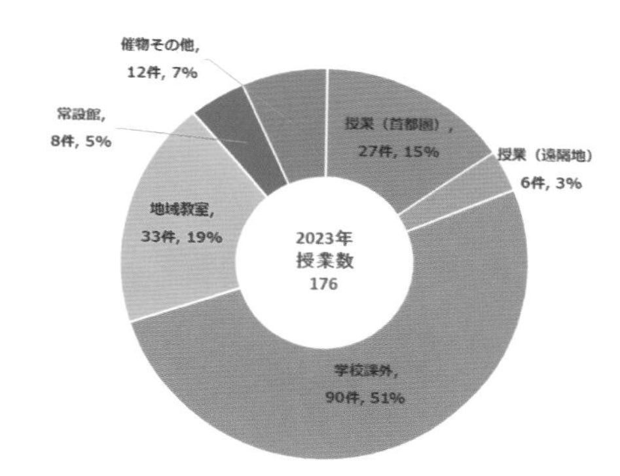

理科教室実施場所（2023年）

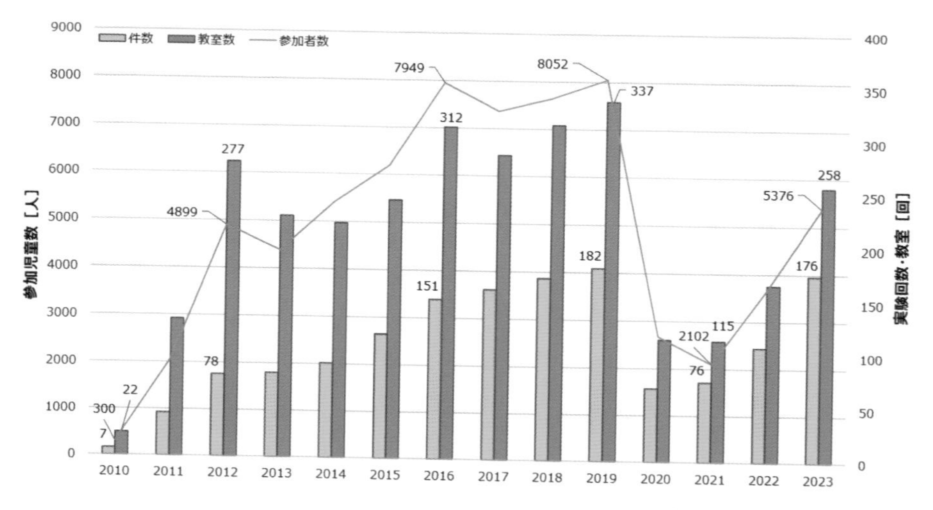

年度別実験回数、教室数と参加人数

理科実験のくふうとテーマ

メンバーの経験、知識、興味をもとに独自開発の実験手順書で、興味と驚きを与えるストーリーを目指しています。

- **安全第一に、手作りの器具と身近な材料を利用しています。**
- **実生活における実用例や、事象との関連を説明しています。**
- **手厚く親しみのある授業を心がけています。**

小先生へのお願い

進行

- 律速になる子に注意
- 器材の確認は小先生が班メンバーと行う
  - ◆ この時自分が使う香りと色を決めさせると同時に、スポイトの使い方を指導する
- 実験はデモが終わり「始めてください」の声がかかるまで始めさせない
- 実験が終わったら●のサインを出す
- 香りや色は原則混ぜさせない
- 観察や記入の要点をアドバイスする
- 積極的な発言を促す
- 万一香りや色素が目に入った場合は、すぐに十分水洗し、保健室に連れていく
- 蓋のセロテープ止めは十文字ではなく、向かい合わせ2か所で十分

後片付け

- 器材の撤収は教室が完全に終わってから。
  - ◆ 途中で片づけを始めると子供たちが落ち着かなくなる
  - ◆ 吸水による樹脂の変化を比較観察させるのに樹脂が必要
- 吸水性樹脂Bのスラリーの片付け方
  - ◆ スラリーは濾し布中に流し、洗浄瓶ですすいだ水も濾し布中に流す
  - ◆ スラリーをまとめた場合や、洗ったカップは出来るだけ重ねない
  - ◆ 児童が使用したキッチンペーパーで拭って水を取る
- 樹脂Aの容器のふたは確実に締める

教壇の前で全体の進行を司る講師（大先生）と、4～5名単位のグループを担当する補助講師（小先生）が連携して教室を進行します。上は、小先生向けの、注意をまとめたもの（テーマ「香りの粒を作ろう」）。

---

1 墨流しで絵はがきを作ろう （88、89ページ）
対象学年：低学年～高学年　標準所要時間：45～90分

2 「3D表札」を作ろう （90、91ページ）
対象学年：低学年～高学年　標準所要時間：30～60分

3 水をきれいにする活性炭のひみつ
対象学年：中学年～中学生　標準所要時間：60～120分

4 香りの粒を作ろう （92、93ページ）
対象学年：低学年～中学生　標準所要時間：45～75分

5 冷却パックを作ろう
対象学年：低学年～中学生　標準所要時間：45～90分

6 ほかほかカイロを作ろう
対象学年：低学年～中学生　標準所要時間：45～90分

7 エタノールで船を走らせよう
対象学年：低学年～中学生　標準所要時間：45～90分

8 飛行機はなぜ飛ぶの？
対象学年：高学年～中学生　標準所要時間：80～120分

9 食塩水電池を作ろう
対象学年：中学年～中学生　標準所要時間：45～90分

10 電気と風車　風で電気を起こす
対象学年：高学年～中学生　標準所要時間：80～100分

11 マヨネーズを作って乳化を学ぼう
対象学年：中学年～中学生　標準所要時間：60～100分

12 水よう液の性質とはたらき
対象学年：中学年～中学生　標準所要時間：60～90分

13 クレーンの秘密　滑車のはたらき
対象学年：中学年～中学生　標準所要時間：45～90分

14 光の花を咲かせよう
対象学年：中学年～中学生　標準所要時間：60～120分

15 コンピュータの秘密を知ろう
対象学年：高学年～中学生　標準所要時間：90分

16 モーターを作ろう
対象学年：高学年～中学生　標準所要時間：75～90分

17 My地球儀を作ろう
対象学年：高学年～中学生　標準所要時間：90～120分

18 素数を探せ　数と遊ぼう
対象学年：高学年～中学生　標準所要時間：60～90分

19 身近な熱　火と水
対象学年：高学年～中学生　標準所要時間：60～90分

20 磁石でマジックタワーを作ろう （94、95ページ）
対象学年：低学年～高学年　標準所要時間：45～120分

21 色と遊ぼう
対象学年：低学年～中学年　標準所要時間：30～60分

22 デンプンを探そう
対象学年：低学年～中学年　標準所要時間：30～45分

23 水に浮く力
対象学年：低学年～高学年　標準所要時間：45～90分

24 プログラミングしてみよう
対象学年：高学年・中学生　標準所要時間：90～120分

25 ミクロの世界をのぞいてみよう～植物の持つすごいちから～
対象学年：高学年　標準所要時間：45～120分

26 音って何だろう
対象学年：低学年・中学年・高学年　標準所要時間：45～90分

墨流しで絵はがきを作ろう

～“ぬれ”と“はじき”がつくる色模様～

概 要	伝統工芸「墨流し」に現代の科学を加えた特殊な絵具で水面に絵模様を描き、用紙に写し取って絵葉書を作ります。一般の水彩絵具は水に溶けてしまいますが、特殊絵具は水面に広がり、各色は混じりません。実験皿の水面は、各実験者だけのデザインで綺麗な色模様が広がり、絵葉書の元絵となります。特殊絵具は、「水をはじく性質」と「水にぬれる性質」を併せ持つため、微妙なバランスで水面に広がることを学びます。「界面科学」の入り口となる理科実験です。
対 象	小学1年生～6年生 学年に応じて内容が異なります。
形 式	所要時間 45分・60分・90分（土日曜授業可能） クラス単位で理科室等で行います。 複数クラスの場合は時間をずらして行います。
内 容	特殊な絵具を使って、伝統工芸「墨流し」を体験する。 **①使う道具と材料を確かめる。** **②実験をはじめよう。** ・つまようじのとがっていない部分に絵具をつけ、水面にそっと静かにつける。 ・違う色の絵具をつまようじにつけ、同様に静かに水面にのせる。 ・息を吹きかけたり、つまようじで水の表面を動かして色々な模様を作る。 ・模様の上にハガキや布をそっとのせて、静かに引上げ、模様を写し取る。 ・新聞紙等にはさみ、重しをのせ、しばらくおくと美しい模様の絵はがきが完成。 **③もっと詳しく学ぼう。** ・なぜ、この絵具は水面に膜になって広がるのでしょうか？（科学的に解説） ・「墨流し」と「マーブリング」技法の特徴や歴史について学習する。

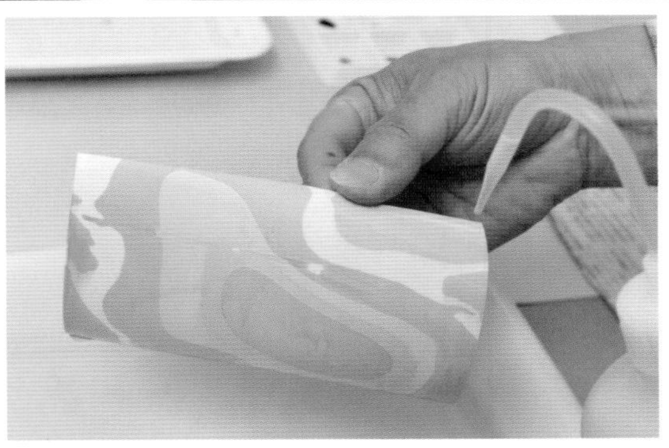

テーマ2 3D表札を作ろう
～発泡ポリスチレンの性質を利用～

概 要	発泡ポリスチレンの板を使い、この板の上に水彩絵具で自分の名前や絵を描いてもらい電気コンロで温めると発泡ポリスチレンと水彩絵具の水との関係で描いてないところが縮み、描いたところがそのまま残り3Dの表札ができます。なぜそのようなことが起きるのか考えてもらいながら、発泡ポリスチレンの性質を、実験を行い体験し、水の不思議の一つ・蒸発熱を学びます。
対 象	小学1年生～6年生 学年に応じて内容が異なります。
形 式	所要時間 30分・45分・60分（土曜授業可能） クラス単位で理科室等で行います。 複数クラスの場合は時間をずらして行います。
内 容	発泡ポリスチレン(発泡スチロール)の「表札」を作る。 **① 使う道具と材料を確かめて、実験を始めよう。** **② 発泡ポリスチレンの板に絵具で名前や絵を描く。** ｉ）かすれないように気をつけ、太くしっかり書く。 ・絵具は5色あるが、色を混ぜないように ⅱ）先生に渡し、電気コンロで加熱してもらう。 ・加熱していると字や絵が浮き上がってくる様子を観察する。 ⅲ）できあがった作品を鑑賞し合い意見交換をする。 **③ もっと詳しく学ぼう。** ・なぜ、発泡ポリスチレンに絵具で字や絵を書いて熱すると凹凸ができるのか？ ・発泡ポリスチレン（スチロール）の性質やその活用事例について詳しく学ぶ。

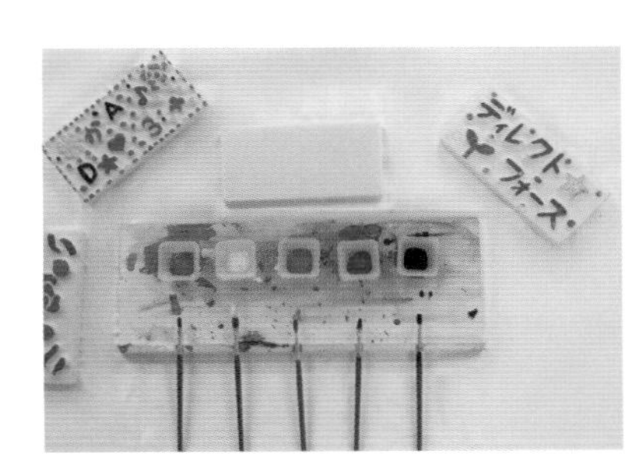
ディレクト
フォース

テーマ4

香りの粒を作ろう！

～吸水性樹脂の性質～

概 要	自分の好きな香りと色素で、良い香りを出す「芳香剤」を作り、家で使ってみます。原料に使われる吸水性樹脂には数十倍～数百倍の重さの水を吸収するという興味ある性質があります。吸水性樹脂が水を吸収する様子を観察し、またその樹脂から水を取り出す実験や、対象学年に応じた水の吸収、取り出される仕組みの勉強をします。吸水性樹脂が私たちの身の回りの多くの製品に使われている様子も勉強します。
対 象	小学１年生～中学生 学年に応じて内容が異なります。
形 式	所要時間 ４５分・６０分・７５分（土曜授業可能） クラス単位で理科室等で行います。 複数クラスの場合は時間をずらして行います。
内 容	**① 使う道具と材料を確かめ、実験道具の使い方を学ぶ。** **② 吸水性樹脂の性質を生かして、香りの粒(芳香剤)を作る。** ・香りの粒のもとを作る。 （吸水性樹脂Ａに水を加え、吸水して膨らむのを待つ） ・好きな色素と香りを加え、芳香剤を完成させる。 **③ 吸水性樹脂が水を吸収・放出する様子を観察する。** ・吸水性樹脂Ｂに水を加え、ゲル状に膨らむことを確認。 ・ゲル状の樹脂に食塩を加え、水分が樹脂から出てくることを確認。 **④ もっと詳しく学ぼう（まとめ）。** ・吸水・放出の原理が浸透圧であることを知り、身の回りでの利用を知る（梅干し、漬物製造への利用）。 ・膨潤した吸水性樹脂と同じような身の回りのゲルを知る（豆腐、寒天など）。

実験5
香りの粒を作る

お家の方へ
芳香剤は絶対
口に入れない
でください
香りが広がりやすい
ようにふたに穴を
開けてください

テーマ20

磁石でマジックタワーを作ろう

～磁石のふしぎ～

概 要	みんなの周りでたくさん使われている磁石はどんなものを引きつけるか、身の回りの物を使って調べていきます。 N極・S極の力を体感し、鉄粉を使った実験で磁力の様子を学びます。 磁石を使ってクルクル回るマジックタワーを作り、このタワーをどうすれば一番クルクル回るか、なぜクルクル回るかを考えます。
対 象	小学1年生～6年生 学年に応じて内容が異なります。
形 式	所要時間 45分・60分・90分・120分（土日曜授業可能） クラス単位で理科室等で行います。 複数クラスの場合は時間をずらして行います。
内 容	**① 磁石が引き付けられるもの探し** クリップ、お金等を試し、鉄が吸い寄せられることを学びます。 **② 引き付けあう力と退け合う力** **③ 鉄粉を使って磁力を観察します。** 鉄粉を薄く展開した用紙を棒磁石の上にのせ軽くたたくことにより磁力線を観察します。次に磁石を石に着け、同様に磁力線を観察し、磁力が石を通過することを観察します。 **④ 磁石の力でクルクル回るマジックタワーを作り持ち帰っていただきます。**

理科実験に参加した子どもたちの声

りかのせんせいへ
きょうは、すみながしたいけんをおしえてくれてありがとうございました。
わたしは、うれしかったです。どうしてかというと、つまようじでやるとまるいぶぶんがほそながくなってえがかけてうれしかったです。

りかのせんせいへ
きょうは、すみながしたいけんをおしえてくれて、ありがとうございました。
わたしは、とてもうれしかったです。
どうしてかというと、きれいなさくひんがつくれたからです。

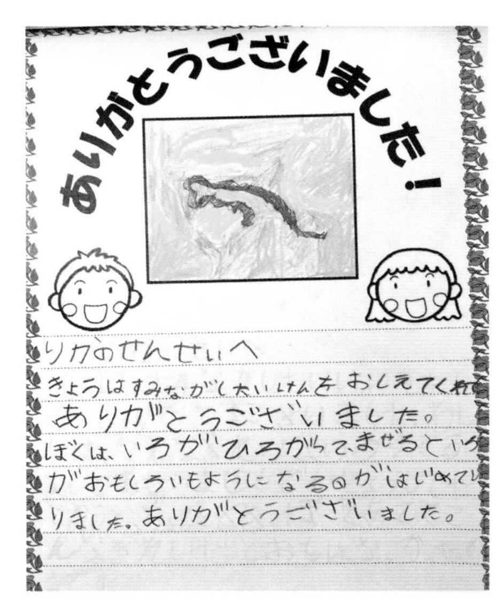

りかのせんせいへ
きょうはすみながしたいけんをおしえてくれて
ありがとうございました。
ぼくは、いろがひろがってまぜるといろがおもしろいもようになるのがはじめてしりました。ありがとうございました。

りかのせんせいへ
きょうは、すみながしたいけんをおしえてくれて、ありがとうございました。
わたしは、つまようじのさきっぽは、つかわないかとおもいましたが、つかえるのでびっくりしました。

理科実験「墨流しで絵はがきを作ろう」に参加した
子どもから届いている声を一部紹介します。

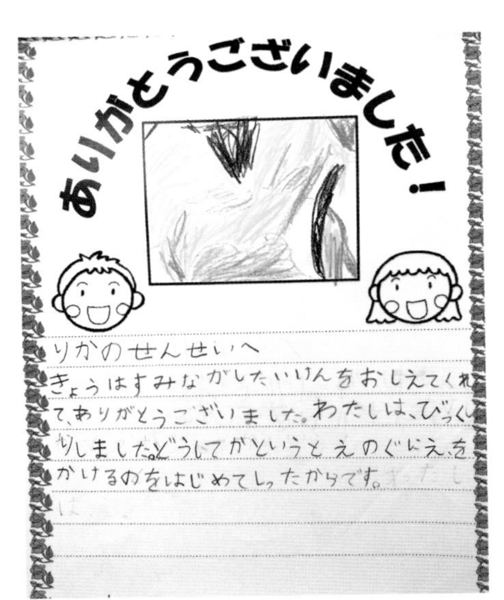

ありがとうございました！

りかのせんせいへ
きょうはすみながしたいけんをおしえてくれて、ありがとうございました。わたしは、びっくりしました。どうしてかというとえのぐにえをかけるのをはじめてしったからです。

ありがとうございました！

りかのせんせいへ
きょうは、すみながしたいけんをおしえてくれて、ありがとうございました。わたしはたのしかったです。どうしてかというと、いろいろないろをながしてたのしかたです。ありがとうございました。

ありがとうございました！

りかのせんせいへ
きょうのじゅぎょうがおもしろかったです。
はがきがいろについてとってもたのしかったです。
また、やりたいです。
きょうは、ありがとうございました。

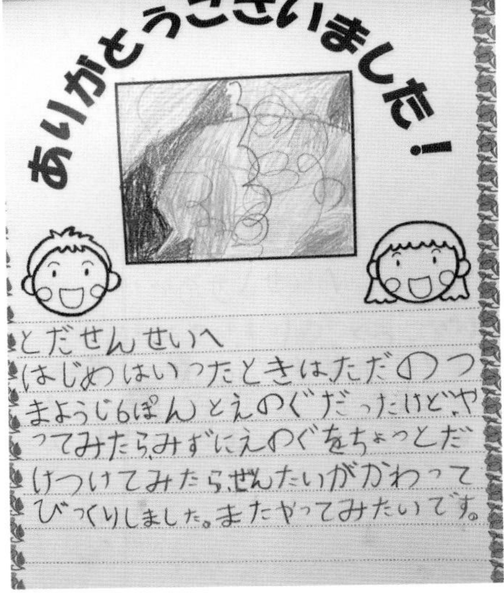

ありがとうございました！

とだせんせいへ
はじめはいったときはただのつまようじもぽんとえのぐだったけどやってみたらみずにえのぐをちょっとだけつけてみたらぜんたいがかわってびっくりしました。またやってみたいです。

制作・協力

■特別監修

公益財団法人東京応化科学技術振興財団理事長　藤嶋　昭

■協力

公益財団法人川崎市産業振興財団

ナノ医療イノベーションセンター

センター長　片岡一則

コミュニケーションマネージャー　島﨑　眞

東京理科大学　理学部第一部応用化学科　教授　根岸雄一

特定非営利活動法人かながわ子ども教室

一般社団法人ディレクトフォース理科実験グループ

横浜市立横浜サイエンスフロンティア高等学校

■写真・イラスト　片岡一則／根岸雄一／アフロ／PIXTA／化学同人

■デザイン　エルジェ　村上ゆみ子

■校正　タクトシステム

■動画制作　東　信一郎

■編集委員会

編集委員長　岩科季治（東京応化科学技術振興財団）

編集委員　菱沼光代（東京応化科学技術振興財団、科学童話研究会代表）

中村敦志（東京応化工業株式会社）

髙木秀夫（東京応化科学技術振興財団）

松本義弘（有限会社オフィス・イディオム）

松下　清（株式会社北野書店）

技術が世界を変える
目指せ！科学者2

2024年6月30日　第1刷発行

発行・発売　株式会社北野書店
〒212-0058
川崎市幸区鹿島田1-18-7 KITANOビル3F
電話　044-511-5491
http://www.kitanobook.co.jp
E-mail　info@kitanobook.co.jp

印刷　株式会社太平印刷社

ISBN978－4－904733－15－8
Printed in Japan

編集委員長
岩科季治
（東京応化科学技術振興財団）

東京応化科学技術振興財団の青少年科学技術向上活動に、従前より関心をいただいておりました北野書店に、この度「目指せ！科学者」シリーズを出版いただけることとなり、シリーズ１、２の編集を行ってきました。

財団向井賞受賞者、シリーズ１本間先生、益田先生、シリーズ２片岡先生、根岸先生のご研究内容のみならず、科学に幼少から興味を抱いてきた経緯や、研究室の学生方のご感想など、青少年方に興味を抱いていただけるよう編集いたしました。さらには、シリーズ１、２とも広く各方面にてご活躍いただいている各団体のご活動内容などわかり易く紹介してまいりました。

これらに興味をもって、科学を志向しようという青少年方が出てこられたら、編集者一同誠に幸甚であります。